# Dans l'engrenage de la justice

## DU MÊME AUTEUR

*L'Avocature,*
Ramsay, 1983, Le Seuil, 1995.

*Les Juges dans la balance,*
Ramsay, 1987, Points Seuil, 1990.

*Justice pour la justice,*
Le Seuil, 1990.

*Du cirque médiatico-judiciaire et des moyens d'en sortir,*
Le Seuil, 1993.

*Paroles d'avocats,*
(recueil)
Hermann, 1994.

*Grand soir pour la justice,*
Le Seuil, 1997.

Daniel Soulez Larivière

# Dans l'engrenage de la justice

Cette édition de *Dans l'engrenage de la justice*
est publiée par les Éditions de la Seine
avec l'aimable autorisation des Éditions Albin Michel

## *Avant-propos*

Après avoir consacré cinq ouvrages au métier d'avocat puis de juge, à la justice, à ses réformes et au rôle des médias, il restait un sixième livre à écrire sur le personnage le plus important du fonctionnement judiciaire : le justiciable. La justice, on l'oublie trop souvent, est faite pour lui être rendue. Mais quoi de plus insaisissable que cette catégorie de citoyen, usager volontaire ou obligé de la justice ? Comment définir et sonder ses pensées, ses espoirs, ses peurs ? Existe-t-il une communauté de citoyens ordinaires ou extraordinaires qui se ressembleraient tous pour avoir été au moins une fois confrontés à un tribunal ?

De rares études savantes tentent, avec l'aide de la sociologie, de dégager quelques attitudes ponctuelles des « justiciables ». Mais un essai, en l'occurrence, aurait été fatalement ennuyeux et scientifiquement improbable. Aussi, l'idée m'est venue de prendre le sujet par un tout autre bout. Quelles sont les plus fréquentes occasions de rencontre de nos concitoyens avec la justice ? D'abord, le divorce parce qu'un couple français sur trois et un parisien sur deux se sépare judiciairement. Ensuite, les accidents qui frappent indistinctement et de manière imprévisible du sceau de la tragédie des citoyens désemparés, dont la plupart se précipitent aujourd'hui vers un tribunal pénal pour savoir la vérité et tenter de donner un sens à un drame que la société n'est plus capable de leur faire supporter autrement. Puis les mises en examen qui frappent désormais tous les milieux sociaux. Chacun en ouvrant son journal ou sa télévision découvre quasi quotidiennement le fonctionnement de la procédure pénale et les exploits des juges d'instruction qui font vaciller les hommes politiques et les chefs d'entreprise. Enfin les crimes, et particulièrement les crimes sur les enfants, qui soudent les honnêtes gens dans une solidarité dont on a pu voir les manifestations éclater en Belgique avec la « Marche blanche » de 1996, après les horreurs de l'affaire Dutroux.

Une mise en examen, un divorce, un accident, un crime : voilà quatre histoires que j'ai choisi de raconter pour faire comprendre, après trente ans d'expérience du métier d'avocat et quinze ans passés à écrire des livres sur la justice, comment peut réagir un justiciable qui entre d'une des manières les plus habituelles dans « l'engrenage de la justice ». Pour faire comprendre également l'écart entre ce que l'on demande à la justice, parce que plus aucune idéologie ni institution n'est en mesure de l'offrir, et ce qu'elle peut donner.

Toutes ces histoires sont imaginées pour ne gêner personne. Mais les situations qui les émaillent sont vraies, à ce point extrême qui fait de la fiction une vérité plus vraie que nature.

# I

# Une mise en examen

Frédéric Lartel a 48 ans ; il est marié à Caroline, 38 ans, père de deux enfants, Antoine, 10 ans, et Julie, 6 ans. Né dans la banlieue rouge de Saint-Denis, d'un père chaudronnier et d'une mère vendeuse, Frédéric a connu l'enfance dure et droite de ces familles de militants communistes qui vendaient *L'Humanité* le dimanche devant les bouches de métro du quartier.

Pas de confort chez les Lartel : un logement HLM de quatre pièces cuisine pour une famille de trois enfants dont deux dans la même chambre. La morale du milieu n'était pas vraiment drôle, mais le Parti présentait l'avantage de favoriser des rencontres, notamment féminines. Frédéric s'aperçut qu'en définitive les fêtes du Parti valaient bien les rallyes des bourgeois dont il connaissait les enfants au lycée. Malgré l'idéologie un peu étouffante de ses parents et leur mentalité de prolétaires d'avant-guerre, Frédéric put constater assez vite que la culture familiale valait largement celle des parents de ses petits camarades mieux nantis. Au moins, même si c'était exclusivement *L'Humanité,* Frédéric avait pris l'habitude de lire le journal dès l'âge de 12 ans. Le monde qui lui était présenté correspondait bien à ses aspirations d'enfant puis de jeune adolescent : conquête d'une vie meilleure, sacrifices pour l'avenir, espoir de la prise du pouvoir par les « travailleurs »... 1968 vint comme une divine surprise jouer le prélude d'une révolution rêvée. Le parti communiste lui parut tout à coup trop vieux et les violons romantiques gauchistes bien séduisants. L'avortement de cette « révolution » avec la reprise en main du pays par Pompidou et de Gaulle en ce début d'été 68 tua une partie de ses illusions. L'invasion de la Tchécoslovaquie par les Soviétiques en dissipa d'autres. Terminé l'espoir politique, finies les premières amours avec la famille communiste.

Début 1969, Frédéric décida d'en mettre un coup et de prendre sa part dans la société telle qu'elle était. À 18 ans, il se concentra d'abord sur ses études. Ce serait le commerce. Toute l'énergie accumulée pendant les années de militantisme familial et individuel se canalisa dans cet effort pour « réussir », selon les critères les plus classiques d'une société libérale qui avait repris le dessus. Ce ne serait pas HEC ni l'ESSEC, études trop difficiles, trop longues, trop coûteuses, mais une école de commerce en trois ans pour entrer au plus vite dans la vie active. La famille permit de réunir de quoi payer la scolarité avec l'appoint de divers petits boulots. À 23 ans, Frédéric entra dans une grande entreprise de travaux publics comme assistant vendeur de maisons individuelles. Magnifique réussite. Le marché était porteur. À 29 ans, le voici chef des ventes pour Paris et l'Île-de-France. La concurrence s'aperçut des qualités de ce jeune homme infatigable et dynamique qui, en sautant de poste en poste et de société en société, devint chef du service commercial de la plus grande entreprise de travaux publics de France : une belle rémunération de 100 000 francs par mois, plus les primes, un appartement à Parly II, dans les Yvelines. À 30 ans, fidèle à ses origines, Frédéric épouse Caroline, elle aussi née à Saint-Denis, d'une famille d'enseignants, restée plus longtemps que lui à l'Union des étudiants communistes, et qui a suivi un cursus universitaire complet comprenant du droit et Sciences-Po.

Tout marche bien dans ce couple sans problèmes. Caroline consacre presque tout son temps aux enfants et travaille à la maison comme collaboratrice d'une société d'enquêtes sociologiques. À 45 ans, Frédéric a un rêve : une entreprise à lui. Ce sera Préfinbat, une société très spécialisée d'étude et de réalisation de préfabriqués industriels, avec une grosse activité à l'étranger, en Afrique, au Moyen-Orient et en Asie. Grâce à un tour de table de plusieurs banques et même une dotation de son entreprise qu'il quitte, ainsi que les fonds de quelques amis, Frédéric rachète bon marché la société en difficulté faute de fonds propres et d'une perte inexplicable et ruineuse d'un marché au Ghana. L'acte d'acquisition est signé à Zurich un matin de printemps. Une partie des actions est possédée par une « fiduciaire », c'est-à-dire une société-écran représentée par des avocats suisses et dont Frédéric suspecte la famille du vendeur d'être le véritable bénéficiaire économique. De fait, dans les années 60, beaucoup de Français trouvaient très judicieux de frauder le fisc en montant des sociétés familiales de façade en Suisse. Le fisc était encore dans l'enfance, et ce n'est que quinze ans plus tard que les conseillers fiscaux qui montaient ce genre de combine commencèrent à comprendre qu'ils faisaient faire de dangereuses acrobaties à leurs clients.

Quelques instants avant la signature, le vendeur, un homme de 70 ans, prend Frédéric à l'écart et lui tient ce langage :

– Il faut que je vous dise tout. La société que vous allez acheter dispose d'un compte dans une banque de Zurich. Cela n'a rien à voir avec la société fiduciaire qui possède une partie des actions qui vous sont vendues. Là, c'est un compte de commission sur lequel il reste encore 5 millions de francs qui appartiennent à la société. Cet argent représente pour partie la caisse noire de la société grâce à laquelle, par l'intermédiaire d'une autre société fiduciaire, nous facturons de fausses études pour pouvoir disposer de quelques espèces afin de faire des cadeaux à nos clients étrangers, notamment quand ils viennent en France.

– Mais pourquoi diable n'intégrez-vous pas directement dans vos frais généraux ce genre de dépenses ? demande Frédéric.

– Cela ne marche pas, dit le vendeur. Les cabarets, les filles ne sont pas facturables, pas plus que les costumes Cerruti de ces messieurs, ni parfois les « Must » de Cartier pour les dames et les épouses, qui font partie des voyages.

– Vous en avez pour combien par an ?

– Un petit million, répond le vendeur. Mais ce n'est pas tout. Sur les 5 millions en caisse, 4 étaient destinés à cette opération du Ghana qui a flanché.

– Que s'est-il passé ?

– Notre intermédiaire, un Nigérian, nous a roulés. On devait lui donner 10 millions en trois fois, dont 2 avant la signature du contrat et 8 après. Il a empoché 2 millions et on ne l'a plus revu. Il avait créé une société suisse à laquelle la nôtre a payé la première partie de la commission. Nous n'avons pas compris ce qui s'est passé. Le type a disparu. Puis nous avons appris sa mort. Il semble qu'il y ait eu une bagarre entre les bénéficiaires, les uns voulant investir l'argent sur place dans le projet industriel pour lequel nous espérions contracter, les autres voulant conserver l'argent en Suisse. Cela aurait généré une dispute... mortelle. C'est tout au moins ce que nos avocats suisses ont entendu dire par leurs collègues de la société de façade commissionnaire. Du coup, nous n'avons pas eu le marché pour lequel on avait engagé 20 millions de francs de travaux et de fournitures en fonction d'un calendrier prévisionnel de production que nous devions respecter d'après un avant-projet de contrat. Mais cela, nous en avions déjà parlé en abordant les contentieux en cours avec la société ghanéenne... avec tout l'espoir, que vous pouvez deviner, d'obtenir des dommages et intérêts !

– Pourquoi ne pas me l'avoir dit avant ? demande Frédéric.

– Avant, ce n'était pas possible. Car si notre vente ne s'était pas réalisée, nous ne voulions pas vous faire découvrir nos petits secrets. Nous pensions que vous ne pourriez pas nous en vouloir puisque nous laissons l'argent en caisse avec un supplément de prix de 2,5 millions de francs que vous nous réglerez dans un délai de douze mois.

– Bref, vous me vendez pour 2,5 millions de francs 5 millions cash ! Une caisse noire à moitié prix !

– C'est *une* affaire !

Frédéric connaît ce genre de pratique mais n'en a vu que quelques bribes dans son activité précédente. En qualité de chef des ventes de l'entreprise qui l'employait, il utilisait aussi des espèces pour faire des cadeaux à certaines sociétés, ou plus exactement à certaines personnes occupant des fonctions municipales importantes. Il sait aussi que cette caisse noire dont il ne s'occupait pas alimentait au moment des élections tous les partis politiques. Il y avait de la fausse facture dans l'air, ou tout au moins des pratiques de surfacturation permettant de dégager des espèces. Il a gardé le souvenir d'avoir reçu, un jour, des instructions de la direction générale de régler une somme de 3,5 millions de francs à un mystérieux commissionnaire dont il n'avait jamais entendu parler et qui était le sous-traitant d'une agence immobilière fort connue. Frédéric n'a jamais voulu mettre son nez là-dedans, se contentant de « ne pas vouloir voir ». Mais maintenant, ce n'est pas le nez qu'il a « là-dedans », mais les deux bras jusqu'aux coudes. Ce brave monsieur distingué de 70 ans lui cède sa boutique avec cent cinquante ouvriers et cadres, et dans le paquet-cadeau un compte suisse à Zurich dont il ne connaît pas l'histoire, parce que, bien évidemment, c'est un nouveau compte qui a été ouvert au nom de la société pour recevoir les 5 millions de francs constituant le solde créditeur de toutes ces opérations moyennement claires. Impossible de revenir en arrière. Casser la vente n'aurait pas eu de sens. Cinq millions de francs sont toujours bons à prendre, même en sachant qu'ils proviennent d'un transfert illicite basé sur de fausses factures. Financer par ce moyen la caisse noire de la société, d'accord, mais commissionner un intermédiaire avec ces fonds était idiot : c'est d'une part démesuré par rapport au chiffre d'affaires de la société, et d'autre part inutilement illicite. Des commissions sont en effet permises sous certaines conditions par l'administration fiscale. Pour peu que ce vieux monsieur charmant ait fricoté avec un parti politique... Frédéric décide de se voiler la face pour aller de l'avant.

Trois ans passent, la société tourne correctement. Quatre mois après la signature, un nouvel « agent » se présente en juin pour prendre la suite du précédent intermédiaire, effectivement retrouvé mort mitraillé dans un tunnel de Genève. In extremis, le contrat ghanéen a pu être rattrapé moyennant la perte de la moitié de la commission de 2 millions de francs emportée par le mort et non prise en charge par son successeur. Les clients étrangers viennent en

France pour signer des contrats plus souvent que Frédéric ne va sur place pour le faire. Et il faut honorer ces messieurs, les sortir et faire plaisir pendant ce temps-là à leur épouse sous la houlette d'un employé de la société préposé à cet effet dans les bijouteries, chez les couturiers et dans les grands restaurants.

Le couple Lartel déménage et achète un rez-de-jardin de 200 m² à Montmartre, peu cher mais à rénover. Dans la société, l'ancien système continue sans histoires apparentes. Frédéric constate au fur et à mesure de sa connaissance de l'entreprise que le vieux monsieur distingué s'occupait surtout des comptes en Suisse, et qu'en outre son carnet d'adresses semblait plus relever du Bottin mondain politique que de l'annuaire de l'École centrale dont il était un ancien élève (promotion 1947).

Le 15 juin 1996 à 6 heures du matin, la sonnette de l'interphone retentit dans l'appartement conjugal au moment où Frédéric, déjà réveillé, se prépare à se lever. Caroline dort encore, ainsi qu'Antoine et Julie.

– Qu'est-ce que c'est ? demande Frédéric, surpris.

– Police judiciaire.

Peu après, trois hommes assurés entrent.

– Nous sommes officiers de police judiciaire de la brigade financière. Nous avons une commission rogatoire du juge Lehachant. Nous allons procéder à une perquisition de votre domicile. Vous êtes placé en garde à vue, annonce l'un d'eux.

– Mais que me veut ce juge ?

– Nous en parlerons tout à l'heure, dit un lieutenant.

– Vous connaissez Stanislas de Janchais ? demande un autre.

– Oui, c'est l'ancien propriétaire de l'entreprise que j'ai rachetée il y a trois ans.

– Il est en détention provisoire.

– Ah ? Écoutez, je ne comprends pas en quoi cela me concerne, mais j'aimerais appeler mon avocat.

– Qui est-ce ?

– Me Olivier Dhampot.

– Nous le préviendrons dans la matinée. Il passera vous rencontrer une demi-heure au bout de vingt heures, soit à 2 heures du matin. Voici vos droits.

Et le policier d'ânonner quelques phrases auxquelles Frédéric, abasourdi, ne prête aucune attention.

– Qu'est-ce que vous cherchez ?

– Tout ce qui concerne votre acquisition de la société Préfinbat, tout sur les comptes en Suisse et le reste. Avez-vous une chambre de service ?

– Non.

– Un garage ?

– Oui, au sous-sol d'un immeuble voisin.

En deux heures quinze, l'appartement de Frédéric et Caroline est fouillé par la police, placard après placard, tiroir après tiroir ; les poches des vestes sont retournées, les paquets de photos examinés, le contenu des portefeuilles trié, les carnets et agendas saisis ainsi que tous les relevés bancaires ; le sac à main de Caroline est minutieusement exploré, la literie retournée. Avec méthode, professionnalisme et précision, toutes les cachettes possibles sont explorées.

Pour Caroline, cette perquisition ressemble à un viol. Les chambres des enfants n'échappent pas à la fouille, tandis que Julie et Antoine sont réunis dans la salle à manger autour d'un petit déjeuner fébrile.

– Ils ont perdu quelque chose, les messieurs qui cherchent partout ? demande Julie.

– Oui. Ne t'inquiète pas, souffle Caroline, après avoir entraîné les enfants dans sa chambre afin de les habiller en vitesse.

– Où allez-vous ?

– Conduire les enfants à l'école.

– Dépêchez-vous de revenir, car vous risquez de ne pas revoir votre mari avant un petit moment, susurre un policier.

Caroline descend calmement les quelques marches vers la rue avec les deux enfants pour rejoindre sa voiture en contrebas, les y engouffre et réfléchit. Elle se revoit petite fille et retrouve cette réaction de « forteresse assiégée » si bien apprise dans les familles communistes. L'avocat, prévenir l'avocat : Caroline l'appelle à partir du téléphone de voiture.

– Allô ? Ici Mme Lartel. M^e^ Dhampot, je vous prie.

– Ici Dhampot, quel bon vent vous amène ?

– Mauvais. La PJ est à la maison et perquisitionne.

– Vous savez pourquoi ?

– Je ne sais qu'une chose : le vieux beau distingué qui nous a vendu Préfinbat est en prison. Ils cherchent tout ce qui concerne l'acquisition de l'entreprise, les comptes bancaires à l'étranger, etc.

M^e^ Dhampot a un instant d'inquiétude car c'est lui qui a négocié cette acquisition dont il avait aperçu certains aspects sulfureux.

– Je ne pourrai voir Frédéric qu'au bout de la vingtième heure de garde à vue, soit à 2 heures du matin, la nuit prochaine, prévient-il.

– Si j'avais à lui passer un message, que lui dire ?

– Mieux vaut ne rien lui dire pour éviter d'éveiller l'attention des policiers. Le principal, c'est d'en dire le moins possible.

– Et moi ?

– Vous n'êtes pas en garde à vue, vous ne risquez rien. Écoutez, il faut trouver à Frédéric un avocat pénaliste. Moi, ce n'est pas ma spécialité. Voulez-vous que je m'en occupe ?

– Volontiers. Évitez quand même les avocats de truands...

– Faites-moi confiance.

– Pourquoi faut-il un avocat à papa ? demande Antoine après que Caroline a raccroché.

– Ce sont des formalités administratives, répond Caroline un peu embarrassée. Pour mieux se faire comprendre, papa a besoin d'un spécialiste des lois qui explique au juge les choses qu'il ne comprend pas. Ne vous inquiétez pas, les enfants. Travaillez bien, à tout à l'heure !

Sur le chemin du retour, Caroline cherche dans sa mémoire ce qui pourrait justifier cette intervention judiciaire, comme s'il fallait l'expliquer à tout prix pour la rendre supportable. Elle était au courant de l'existence du compte suisse. Elle savait que Frédéric « maniait » quelques espèces, payant souvent ainsi le restaurant, l'hôtel et l'essence pendant le week-end. Comment parler de cette histoire aux enfants ?

Retour rue Lamarck vers 9 heures. La perquisition semble se terminer. Les policiers demandent à Caroline d'identifier les objets du coffre de l'appartement, quelques bijoux.

– D'où viennent-ils ?

– Celui-ci m'a été donné par ma mère qui le tenait de ma grand-mère. Ces trois-là m'ont été offerts par mon mari depuis notre mariage.

– Vous avez des factures ?

– Il faut que je les cherche.

– Rassurez-vous, dit Frédéric, je les ai payés par chèque.

– Et ces billets, qu'est-ce que c'est ?

– J'ai toujours 50 000 francs d'avance dans mon coffre chez moi.

– D'où viennent-ils ?

– C'est de l'argent mis de côté depuis dix ans.

– On verra. Maintenant, on vous emmène.

– Où ?

– Rue du Château-des-Rentiers, au siège de la brigade.

– Laissez-moi prendre une douche et me raser.

– Pas le temps. Prenez 200 francs et votre carte d'identité.

– Je dois vous passer les menottes, prévient le chef de l'équipe policière. C'est la règle. Prenez votre veste et mettez-la sur vos poignets, ça ne se verra pas.

Le claquement sec des « bracelets » qui s'ajustent avec le bruit bref d'une vieille horloge qu'on remonte fait basculer Frédéric dans un autre univers. Peu après, il passe la porte cochère entre deux policiers. L'effort pour enjamber la porte n'est pas synchronisé avec celui du policier qui le tient en laisse, ce qui a pour effet de resserrer douloureusement les menottes.

– Où est votre parking ? demande l'un d'eux.

– À trois cents mètres à gauche.

– Vous avez le bip ?

– Oui.

– On y va en voiture, ce sera moins gênant pour vous.

Tandis que Frédéric se penche pour entrer dans la 306 banalisée, un policier lui appuie sur la tête.

– Pourquoi faites-vous ça ?

– Pour éviter que vous ne vous tapiez la tête en entrant à cause des menottes qui vous empêchent de conserver votre équilibre...

Dans le garage, la Safrane est explorée minutieusement : fouille de la boîte à gants, examen de tous les vide-poches, ouverture des cartes routières pli par pli. Les cartes de visite d'avocats suisses et d'une adresse de restaurant à Zurich sont saisies.

À la sortie du garage, la voiture de police se dirige vers la place de la Madeleine.

– Où va-t-on ? demande Frédéric.

– Perquisitionner votre bureau.

– Et vous allez me faire monter comme cela ? dit-il en montrant ses poignets.

– Gardez votre veste sur vos mains, on vous détachera dans votre bureau.

Rue Godot-de-Mauroy, la réceptionniste se demande ce qui se passe en voyant son patron encadré par deux messieurs, sa veste bouchonnée sur les bras, pas rasé et l'air gêné. Quant à la secrétaire, elle comprend la situation au cliquètement que font les menottes au moment où on les lui enlève.

– Que voulez-vous voir ? demande Frédéric.

– Les mêmes choses que chez vous.

– Appelez-moi Jean-Louis, dit Frédéric à sa secrétaire. C'est le comptable, explique-t-il, il vous fournira les papiers dont vous voulez prendre connaissance.

Le comptable blêmit lorsqu'il pénètre dans le bureau du patron.

– Donnez à ces messieurs tout ce qu'ils veulent sur l'acquisition de Préfinbat.

Après une nouvelle perquisition, les policiers saisissent tous les courriers placés dans une chemise « personnelle », l'agenda, le carnet de téléphone, et relèvent tous les numéros précomposés chez la secrétaire et sur la ligne directe. Un des policiers a trois énormes cartons dans les bras : le dossier de l'acquisition. On interrogera le comptable plus tard. En route pour la brigade.

De nouveau le bruit des menottes, la veste, la main sur la tête. Direction Château-des-Rentiers. Pour Frédéric, le cauchemar continue.

Il est emmené dans un bureau où il est détaché, puis doit vider ses poches de son briquet, de son portefeuille. Plus de cravate, ni de ceinture, ni de lacets. Ses lunettes échappent de peu à la confiscation.

– Si vous voulez que je signe quelque chose, il faudra que je puisse le lire, dit Frédéric avec bon sens.

Il est 11 h 30. Un policier qu'il n'a pas encore vu lui apporte un sandwich et une bouteille de bière en le prévenant qu'il n'y aura pas d'autre casse-croûte avant plusieurs heures.

À 11 h 45, l'interrogatoire commence : identité, cursus scolaire et universitaire, évolution professionnelle, fonctions assumées chez le dernier employeur, conditions dans lesquelles Frédéric est entré en contact avec les représentants de Préfinbat. À 14 heures, suspension des opérations après signature d'un premier procès-verbal.

– De toute façon, Lartel, ne vous fatiguez pas, on sait tout, tout le monde a parlé, lui dit-on.

À 14 h 15, il est descendu dans une cellule genre cachot qu'il doit partager avec une dame d'une cinquantaine d'années et un jeune Marocain.

– On nous traite comme des chiens, dit la femme.

De fait, la chaleur est étouffante dans cette espèce de cage de 1,20 mètre sur 2 mètres, meublée d'une banquette en bois et fermée au-dessus par un grillage. La radio fonctionne en sourdine. À 15 heures retentit le jingle « Taratatadonta » de RTL annonçant le flash d'informations : « Perquisition et interpellation d'un responsable de bureau d'études ce matin à 6 heures, dans le cadre d'une information ouverte chez le juge Lehachant. Des fausses factures alimentaient une caisse noire, et des comptes en Suisse ont pu servir au financement de plusieurs partis politiques. Le précédent propriétaire de cette entreprise, Préfinbat, est déjà placé depuis ce matin en détention provisoire.

La chambre d'accusation de Paris devrait statuer sur son sort dans le courant de la semaine prochaine. »

« Drôlement bien renseignés, les journalistes ! » pense Frédéric qui repasse dans sa tête le scénario de l'acquisition de sa boîte et les événements de ces trois dernières années. « Pourquoi annoncent-ils que nous sommes un bureau d'études ? Ça doit faire mieux », se dit-il amèrement. La dame commence à lui raconter son histoire. Son mari est dans un autre « cachot ». Ils sont accusés de fausses facturations pour toucher des subventions de la Communauté européenne. Frédéric pense que Caroline l'a échappé belle. Quant au Marocain, il se prétend opposant politique au roi du Maroc.

Difficile de réfléchir... Tant de choses se sont passées et si brutalement ! « Qu'est-ce qu'on me reproche ? C'est vrai, j'ai fait une erreur en retirant 1 million de francs du compte suisse pour financer, via une banque allemande, l'acquisition de mon appartement au moyen d'un prêt sans intérêts, remboursable sur quinze ans. Mais ce n'était qu'un prêt et qu'un petit million. À part cela, j'ai payé par chèque les bijoux de ma femme. Je paie tout par cartes de crédit, sauf 50 000 ou 60 000 francs par an d'espèces que j'utilise pour les vacances, quelques week-ends, les cadeaux de fin d'année, les parents, les enfants... Ils doivent chercher autre chose. Ce Stanislas de Janchais a sûrement beaucoup magouillé. Ça a dû mal tourner, et c'est pour cela qu'il a finalement vendu sa boîte, la caisse noire et les comptes suisses mis à zéro. Qu'est-ce qui a pu se passer avec cette histoire ghanéenne miraculeusement rattrapée après la découverte de cette exécution bizarre dans le tunnel de Genève ? Comment sortir de là au plus tôt ? » Frédéric se souvient des conseils de Dhampot : « Si un jour tu es placé en garde à vue, boucle-la complètement. »

« Mais si je ne parle pas, se dit-il, ça va durer plus longtemps. Peut-être vaudrait-il mieux dire ce que je sais le plus tôt possible plutôt que d'indisposer le juge en refusant de collaborer ? » La brutalité de la situation cache pourtant encore à Frédéric le saccage possible de sa vie. Les deux enfants complètement affolés, Caroline témoin de son arrestation, l'arrivée à l'entreprise entre deux policiers, l'annonce à la radio de son interpellation, rien de tout cela n'a encore douloureusement pénétré son esprit. Pour le moment, la réaction de survie est la plus forte. À 16 h 30, Frédéric est tiré de la moiteur et de ses réflexions pour remonter dans le petit bureau afin d'y être à nouveau interrogé.

– On va maintenant passer aux choses sérieuses, attaque d'un ton sec le capitaine Briselec.

– Ne croyez-vous pas qu'il serait préférable que je m'explique directement devant le juge d'instruction ?

– Écoutez, Lartel, je vais vous parler très franchement. Si le juge avait voulu vous parler directement, il l'aurait fait. La garde à vue, c'est pour voir si, à l'abri des influences, vous êtes sincère. En fonction de ce que vous direz, le juge vous mettra en détention ou vous remettra en liberté. Si vous coopérez, vous pouvez vous en sortir. Ce n'est pas vous qu'on recherche. Mais si vous nous mentez, vous êtes parti pour six mois.

– Lehachant est un peu dur, ajoute un lieutenant qui vient d'entrer. On n'est pas toujours d'accord avec lui. Il se fiche de la casse, ce qu'il veut, c'est un résultat.

– La « casse », qu'est-ce que c'est ?

– Vous verrez bien. Comment va Mlle Stéphanie ?

– Co-comment ?

– Écoutez, monsieur Lartel, nous savons tout de vous. Votre audition est surtout faite pour vérifier ce que nous avons appris. Que vous ayez une petite amie, ça nous est égal, on ne va pas aller le raconter à votre femme. La seule question qui nous intéresse est celle-ci : faites-vous des cadeaux annuels de plus de 20 000 francs à cette jeune femme ?

– Non.

– Ce que vous avez dit est vrai. Ce chapitre est clos. On ne le mentionnera même pas. D'accord, Lucien ?

– D'accord, fait le lieutenant calé derrière une machine à écrire.

– Maintenant, attaquons le cœur du sujet. Quand avez-vous racheté Préfinbat ?

– Il y a trois ans.

– Juste.

– Quel parti politique avez-vous subventionné avec vos fausses études pour la société ?

– Aucun.

– Allons, allons, monsieur Lartel. Nous avons là tous les comptes de la société depuis 1990. Nous savons que 20 millions de francs de facturations ont été réalisés par votre prédécesseur dans le sens franco-français et que 35 millions de francs de fausses facturations ont été sortis dans le sens franco-suisse.

– Je ne sais pas ce qui s'est passé avant 1993.

– Ce n'est pas ce que nous a dit Stanislas de Janchais.

– Comment ça ?

– C'est nous qui posons les questions.

– C'étaient des commissions versées à l'étranger.

– Écoutez, monsieur Lartel, ne nous prenez pas pour des ânes. La loi prévoit tout à fait la possibilité de verser des commissions à l'étranger. Cela s'appelle pudiquement « commissions à personnes non dénommées résidant à l'étranger ». Elles font l'objet d'une déclaration.

– Oui, dit Frédéric, ainsi que d'un prépaiement de l'impôt surtaxé. C'est hors de prix.

– Vous savez qu'il y a des arrangements avec l'administration fiscale.

– Peut-être.

– De toute façon, les mouvements de fonds n'ont aucun sens. Pour nous, votre boîte, ainsi que nous le savons, a fait le taxi pour passer en Suisse 35 millions de francs qui ont ensuite disparu dans la nature.

– Ce que je sais, moi, répond Frédéric, c'est que depuis mon rachat de la boîte, rien de ce que nous avons reçu en France n'est faux. Toutes les factures sont réelles.

– Et toutes celles que vous payez vers la Suisse ?

– C'est vrai, pas toutes.

– Comment expliquez-vous cela ?

– J'ai repris une boîte en continuant ses pratiques pour payer des commissions à l'étranger.

– Que vous ayez continué ses pratiques, d'accord. C'était pour vous ?

– Pas du tout !

– Comment « pas du tout » ? Et ce financement de votre appartement ? D'où vient-il ?

– ...

– Écoutez, on connaît la vie. Vous bossez depuis quinze ans douze heures par jour. Vous gagnez plus d'1,5 million par an en payant 750 000 francs d'impôts, cela ne permet pas sans capital d'emprunter plus de 2 millions sur quinze ans avec tout ce que vous avez déjà sur le dos. Alors, quand on a de l'argent à sa disposition en Suisse, on en prend un peu. Et puis, comme on est honnête, on se dit qu'on remboursera. C'est ça ?

– C'est ça, c'était un emprunt à la caisse noire de la société, *via* une banque allemande de Stuttgart.

– Vous voyez, c'est plus simple que de nous raconter que vous avez hérité d'une tante belge ! Allez, Lucien, on tape : « Je n'ai pas de dépenses particulières que je paie en espèces. À part mon appartement et les parts de ma société, je ne dispose d'aucun capital. Cet appartement a été acheté 2 millions de francs en 1993. J'y ai fait 500 000 francs de travaux. Un million de francs a été prêté par une banque de Stuttgart qui a reçu les fonds d'une banque suisse dans laquelle la société Préfinbat dispose d'un compte. Je dois rembourser cette somme. Depuis l'acquisition, j'ai effectivement remis 50 000 francs sur ce compte allemand. Je sais que c'est peu, mais j'estime que compte tenu des dividendes prévisibles de la société dans les dix ans qui viennent, je pourrai sans difficulté rembourser la totalité. »

Après ce premier aveu, Frédéric sent un piège se refermer sur lui. L'aveu, c'est d'abord à lui-même qu'il le fait en confirmant ce que les policiers ont deviné sans forcément en avoir la preuve. Pourquoi avoir cédé à la facilité voici trois ans ? Cette société Préfinbat, il la voulait trop. Aurait-il dû faire un scandale au moment de la révélation du passé suisse des comptes de la boîte ? Difficile. Et puis, Dhampot, son avocat, le lui déconseillait. Quant à cet appartement, 2 millions de francs pour 200 m$^2$ dans le quartier de Montmartre, c'était inespéré. « Avec 500 000 francs de travaux, j'étais au-dessous de 12 500 francs le m$^2$. On ne laisse pas passer une affaire pareille. Mais cet emprunt *via* l'Allemagne, quelle bêtise ! J'ai manqué de vigilance. »

– C'est vrai, je vous ai tout dit, dit Frédéric aux policiers qui le regardent avec la satisfaction d'avoir déstabilisé leur « client ».

– Bon, tout cela, ce sont des broutilles, dit le capitaine. Cela ne peut pas vous mener trop loin. En revanche, si vous ne nous dites pas le reste, vous êtes mal parti.

– Parlez-nous du Ghana.

– Le marché du Ghana concernait la fourniture de bâtiments industriels considérables abritant une usine de quincaillerie, de chaudronnerie légère, et de petit et moyen outillage. Pour nous, c'était un marché vital. J'ai racheté l'entreprise à bas prix à cause de la perte de ce marché qui devait nous donner du travail pour un an et générer 100 millions de chiffre d'affaires. L'affaire a été rattrapée miraculeusement après la reprise et nous a coûté 10 millions de commission à un intermédiaire. Comme il y avait 5 millions de francs de reste dans la caisse noire suisse, c'était supportable.

– C'est une version très édulcorée que vous nous servez là, monsieur Lartel. D'autant plus que cela n'explique pas les 9 millions versés par votre société à une fiduciaire suisse depuis votre reprise de la boîte.

– Ça, c'est autre chose.

« Puisqu'ils savent tout, pense Frédéric, autant leur dire ce qu'ils veulent entendre. »

– Les 9 millions se décomptent en 5 pour compléter la commission du Ghana, les 4 millions restants étant affectés aux menus frais de traitements des clients étrangers en France.

– Ou aux menus frais de M. Lartel lui-même, comme l'acquisition de son appartement, dit le capitaine rigolard.

– Monsieur Lartel, il est déjà 19 h 30, on va vous laisser réfléchir. Nous reprendrons cela demain. Vous allez voir votre avocat cette nuit. Nous l'avons prévenu cet après-midi par téléphone. Je suis sûr qu'il vous donnera de bons conseils. Avez-vous besoin de voir un médecin ?

– Non.

Retour au cachot. Cette fois, Frédéric y est seul. La chaleur est toujours aussi étouffante. À la radio, le flash de 20 heures, évoquant la garde à vue de Frédéric, explique qu'une commission de 10 millions de francs aurait disparu au profit de partis de l'opposition, avec une mort mystérieuse à la clef. De 19 h 30 à 21 h 30, Frédéric tourne et retourne dans sa tête le film de ces trois dernières années, essayant de trouver des indices permettant de découvrir ce que la police cherche, oubliant ce qu'il a déjà dit. Tous les scénarios sont possibles, mais aucun ne lui paraît vraisemblable. Il lui manque trop de morceaux pour reconstituer le puzzle. Pendant trois années, il a essayé de repousser de son esprit tout ce qui « puait » dans Préfinbat d'avant l'acquisition. Maintenant, c'est l'exercice inverse. Cet intermédiaire retrouvé tué dans un tunnel ! Que résulte-t-il de l'enquête ? Exécution ? Evidemment ! Qu'a donc pu faire ce type pour être éliminé ? Frédéric se perd en conjectures quand on lui annonce qu'il « déménage » vers la PJ du XIIIe, au 144, boulevard de l'Hôpital, le « dépôt de notre établissement », comme lui dit le policier venu le chercher.

Et le voici à nouveau menotté, tenu en laisse et hissé dans un panier à salade. Le fourgon ne pouvant pas descendre au parking vu sa hauteur, Frédéric débarque à l'air libre et peut respirer la fraîcheur de ce début de soirée d'été. L'entrée du dépôt est meublée d'une grande banquette en bois démantibulée, sans doute sous les coups de pied d'excités ou de drogués en manque ; en face, une grande baie vitrée derrière laquelle, comme dans un aquarium sale, des hommes et des femmes ont l'air de poissons asphyxiés.

Frédéric est emmené vers le premier étage où il pénètre dans une salle plus petite, très éclairée, où un homme semble dormir. Il marche de long en large dans cet espace d'une quinzaine de mètres carrés. On lui apporte un sandwich. Assis sur un banc, les jambes écartées et les deux mains tenant le sandwich, il aperçoit dans la baie vitrée une forme hirsute et réalise au bout de trente secondes que c'est de lui-même qu'il s'agit. Les toilettes où il demande qu'on le conduise sont particulièrement infectes : murs couverts d'excréments, pas de papier hygiénique – à la place, un petit robinet à la hauteur d'un homme accroupi. En ressortant, un peu secoué, Frédéric entend de longs cris déchirants, manifestement ceux de drogués en manque. La fatigue le gagne, le submerge. Un autre pensionnaire est arrivé entre-temps. Frédéric avise le seul banc resté libre et s'étend dessus en sombrant dans une sorte de semi-coma.

À 2 heures précises, un gardien l'appelle et le dirige dans un réduit de 5 m², avec une porte vitrée, un banc scellé dans le mur et une caméra dans un coin du plafond. À 2 h 05, Me Dhampot arrive et lui donne le sentiment de faire déjà partie d'un autre monde. Tout pâle, l'avocat, dont c'est la première visite en garde à vue, lorgne au moment d'entrer la caméra au plafond.

– Ne vous inquiétez pas, maître, ça ne marche pas. Vous avez une demi-heure, lui dit le gardien.

Dhampot sort un paquet de cigarettes de la marque que fume Frédéric. Au bout de cinq minutes, l'atmosphère du réduit est largement enfumée.

– Quelle tête est-ce que j'ai ?

– Tu as l'air fatigué, dit Dhampot. Ta femme m'a

dit que depuis deux ans tu prends du Témesta pour dormir. Est-ce qu'on t'en a donné ?

– Non. Ils m'ont tout retiré des poches, même de ma poche-gousset du pantalon dans laquelle je garde un ou deux comprimés. Ils doivent me l'apporter, mais ils ont « oublié ». Tu n'en as pas pris avec toi ?

– Non. De toute façon, je n'aurais pas le droit de t'en donner. Fais attention, l'arrêt brutal du médicament déclenche de fortes angoisses.

– Ça fait partie du jeu. La perquisition chez moi, au bureau, les menottes, l'arrêt du tranquillisant, tout est fait pour me faire craquer. Mais je ne peux pas leur en dire plus que je ne sais.

Me Dhampot a connu Frédéric en qualité de négociateur de l'apport de capital à Préfinbat par la société de travaux publics qui l'employait et qu'il quittait. À la tête d'un cabinet d'affaires d'une quinzaine d'avocats, Olivier Dhampot est spécialisé dans les fusions et acquisitions. C'est à ce titre qu'il a participé aussi à l'achat de Préfinbat. Il se sent mal à l'idée que cette vente aurait servi à couvrir on ne sait quel financement politique.

– Frédéric, la presse de ce soir raconte l'histoire. Ton nom est cité. Le juge Lehachant est une véritable terreur qui a mis au point sa méthode, d'abord dans l'est de la France, puis dans la région parisienne. Je me suis renseigné auprès de confrères pénalistes : on le surnomme le « hachoir » ! Sa spécialité est la « prise d'otage ». C'est-à-dire la mise en détention provisoire pour essayer de faire parler les gens. Il espère ensuite que la chambre d'accusation transformera la « prise d'otage » en « demande de rançon » avec mise en liberté assortie d'une caution exagérée de manière à bien faire mijoter le patient et à le rendre causant. À Paris, il n'est pas bien vu de ses collègues de la financière qui le trouvent trop « cow-boy ». Il pratique les écoutes au maximum, et il n'est pas du tout exclu que je sois moi-même écouté car j'ai participé à l'acquisition de ta boîte. Il doit me considérer plus comme un témoin que comme un avocat.

– C'est possible, ça ?

– Parfaitement. Depuis vingt-cinq ans et l'affaire de la Garantie foncière, l'avocat est très facilement considéré comme le complice de son client. C'est un grand classique. On tire deux coups, l'un sur le client, l'autre sur l'avocat. Ça simplifie l'enquête.

– Mais encore faudrait-il qu'ils aient quelque chose à trouver.

– Tout est destiné à te briser pour te faire parler.

– Mais pour dire quoi ?

– Ce que tu sais de Stanislas de Janchais. Ils n'imaginent pas que tu aies pu reprendre la boîte sans connaître ce qui s'est passé avant.

– Mais qu'est-ce qui s'est passé *avant* ?

– *Le Monde* de ce soir explique que Préfinbat faisait le taxi pour un parti de l'opposition : fausses études en France payées à la boîte, fausses études en Suisse payées par la boîte, valises de billets retournant en France par des passeurs ou compensations fausses entre la banque suisse et des grandes banques françaises. L'histoire du Ghana a mal tourné. Il s'agissait de détourner en partie une commission exagérément gonflée pour ce marché. Mais l'intermédiaire était véreux. Il devait jouer le fusible entre le parti et la société ghanéenne. D'après ce que dit *Le Monde,* il aurait empoché la commission pour lui tout seul, pensant probablement que la complication de la situation lui permettrait cette filouterie.

– Et c'est lui qu'on a retrouvé dans le tunnel ?

– Parfaitement.

– Et moi, dans tout ça, qu'est-ce qu'on me veut ?

– On pense, je suppose, que tu as pris le relais. Ta bonne tête donnait une nouvelle virginité à Préfinbat.

– Et la commission versée finalement au Ghanéen ?

– Il est fort probable qu'une partie soit rentrée à Paris sous forme d'un retour de commission après nouvelle répartition décidée en fonction des circonstances entre le parti politique français et les Africains.

– Tu es sûr de tout cela ?

– Non, je lis *Le Monde.* Écoute, il nous reste quinze minutes. Je t'ai trouvé un avocat, mon confrère Fratic, un pénaliste, 65 ans, les cheveux blancs, de la moelle et quarante ans d'expérience.

– Mais Fratic, c'est un avocat de truands, c'est lui qui a défendu l'assassin de la petite Chloé la semaine dernière.

– Frédéric, tu es dans une affaire pénale, pas dans un arbitrage international. Il sera là chez le juge quand tu lui seras déféré et pour le débat contradictoire.

– Qu'est-ce que c'est ?

– Si le juge envisage de te mettre en détention provisoire, il convoque le procureur et la défense et, après débat, prend sa décision.

– Qu'est-ce qu'il va faire à ton avis ?

– Normalement, il va te mettre au trou, mais ça dépend de ce que tu as dit.

– J'ai expliqué les fausses études vers la Suisse pour fournir de quoi honorer nos clients étrangers. J'ai expliqué le prêt allemand...

– Quel prêt allemand ?

– Celui par lequel j'ai pu acheter la rue Lamarck à Paris avec les fonds suisses.

– Tu as fait ça ?

– Oui.

– Bon... Essaie de te reposer. Tu cours le risque d'aller en détention provisoire. Tout sera balancé à la presse. On a maintenant de l'« enrichissement personnel » sur le dos. Il faut te préparer au pire.

Quoique n'ayant pas d'expérience pénale personnelle, ce que Dhampot a pu voir du fonctionnement du cirque médiatico-judiciaire lui a toujours inspiré la plus grande frayeur. Comme le bâtonnier Izard le disait poliment à une juridiction d'appel correctionnel alors que le président lui demandait s'il n'avait pas confiance dans la cour : « Le plus immense respect, monsieur le président, aucune confiance. » Dhampot se rappelait toujours cette phrase qui lui permettait de sourire de ce qui lui faisait peur.

– En plus, avec Lehachant, tu n'as vraiment pas de chance. *Le Canard enchaîné* de cette semaine publie son tableau de chasse : un énorme encadré avec son nom cité à propos de mises en détention dans plusieurs affaires.

– N'en jette plus, lui dit Frédéric. Qu'est-ce qui va se passer maintenant ?

– Demain matin, ils te réinterrogeront. Ils ont la possibilité de le faire jusqu'à 8 heures. Là, tu comparais devant le juge d'instruction qui te met en examen. La seule chose que tu puisses faire, c'est de ne pas aggraver ton cas. La meilleure solution reste encore d'en dire le moins possible. Tu as dit tout ce que tu savais sur ce qui est vrai. Ne te mêle pas de parler de ce que tu ne connais pas. Ne crois surtout pas que si tu leur fais plaisir, tu peux échapper à la détention. Considère que c'est foutu et restes-en là sans rien ajouter. Maintenant, il faut que je m'en aille. La demi-heure est terminée. Fratic te retrouvera avec moi demain soir au Palais. Bon courage.

Outre la mauvaise surprise du diagnostic pessimiste de Dhampot, Frédéric subit l'humiliation de s'être fait « avoir » par ces messieurs de la brigade. Que savaient-ils en réalité ? À part Stéphanie grâce à une écoute, peut-être rien. Sauf des doutes en voyant l'acte d'acquisition de l'appartement où figure peut-être le million venant de Stuttgart. En tout cas, à ce moment, rien encore ne pouvait être prouvé. C'est lui, bon imbécile, qui leur a donné tout rôtis les moyens de le mettre en prison en pensant se sortir d'affaire.

L'absence de Témesta commence à faire son fâcheux effet : l'angoisse monte. Après avoir rejoint la salle de dépôt maintenant occupée par deux personnes de plus, hirsutes comme lui, Frédéric arrive à se caler dans un angle de la pièce. Sa vie lui paraît devenue un petit tas de cendres. Il essaie de dormir, mais somnole difficilement jusqu'à 8 heures du matin.

À 8 heures, trois inspecteurs viennent le remenotter pour le Château-des-Rentiers après un passage aux toilettes puantes. Frédéric retrouve le « cachot » de la veille. À 9 heures, retour dans le bureau du premier interrogatoire, devant les mêmes policiers en chemise propre, bien rasés, l'air reposé. Frédéric gratte son visage envahi par une barbe de deux jours ; il se sent si fatigué que son objectif principal reste de faire bonne contenance malgré la situation afin de ne pas perdre la face par rapport à lui-même.

– Alors, monsieur Lartel, la nuit a-t-elle porté conseil ? Qu'avez-vous à nous dire sur l'acquisition de Préfinbat ?

– Je ne sais rien de ce que vous cherchez. J'ai acheté tout à fait normalement cette entreprise avec un tour de table des banques, des amis et de mon ancienne boîte. C'était une bonne affaire. Depuis lors, je l'ai bien développée.

– Comment avez-vous pu recueillir les 5 millions de francs qui se trouvaient dans un compte suisse sans vous poser de questions ?

– Écoutez, j'en ai assez, je parlerai plus tard au juge d'instruction.

– Ça ne va pas lui plaire du tout à Lehachant, vous savez, il est très dur.

– Tenez, prenez donc un sandwich, ça vous fera du bien.

C'est le troisième sandwich en trente heures. Manger le réconforte un peu mais ne change rien à sa détermination.

– De toute façon, le juge va me mettre au trou...

– Vous êtes bien pessimiste. Si vous nous aidez, le juge se montrera compréhensif.

– Je ne peux pas vous aider. Je ne sais rien de ce que vous cherchez. Je ne vois pas l'intérêt de vous raconter une histoire pour vous faire plaisir.

– Avec un dossier comme ça, si vous ne parlez pas, vous êtes bon pour six mois.

– On verra, dit Frédéric.

La visite de l'avocat avait provisoirement blindé Frédéric. Ayant perdu brutalement espoir, plus rien ne l'intéresse que ne pas aggraver sa situation en donnant aux policiers des détails qui, interprétés de manière malveillante, pourraient l'enfoncer davantage.

– Amenez-moi au juge. Je ne vous dirai plus rien, conclut Frédéric en songeant, malgré tout, que Lehachant n'est peut-être pas l'ogre que lui ont décrit Dhampot et les policiers.

De 9 heures à 14 heures, les policiers interrogent Frédéric qui invariablement répond :

– Je ne sais pas, je ne veux pas vous répondre, je n'ai rien à ajouter.

Se rendant compte qu'ils n'en tireront pas davantage, les policiers cessent l'interrogatoire à 15 heures. Après une brève visite du médecin qui prend sa tension et lui demande si tout va bien, Frédéric est redescendu dans le cagibi de l'étage inférieur où il patiente deux heures avant d'en être extrait, remenotté, traîné dans une voiture et amené dans l'île de la Cité, quai aux Fleurs à côté de l'entrée de la Cour de cassation. Les grilles du dépôt s'ouvrent. Frédéric est remis aux mains de la gendarmerie mobile qui fait office de manutentionnaire des prisonniers au Palais. Il est parqué dans une salle de trois mètres sur quatre où s'entassent dix personnes dans une atmosphère torride et puante, complètement irrespirable.

Au bout d'un quart d'heure commence la fouille. Présentation à la « banque » derrière laquelle se dressent quatre gardes mobiles. Frédéric doit se déshabiller entièrement. Tous ses vêtements sont fouillés. Dans la précipitation, il avait chaussé le matin de son arrestation des chaussures dépareillées ; il s'agissait de deux paires identiques dont l'une avait été ressemelée, et l'autre pas. L'épaisseur de la semelle du pied gauche et celle du pied droit n'étant pas les mêmes, un garde mobile s'obstine à faire tourner le talon du pied gauche... sans succès. Complètement nu, Frédéric doit se pencher en avant, montrer son anus et tousser. Au bout de vingt minutes, rhabillage et confiscation de la ceinture. Retour dans le cachot d'attente. Frédéric est stupéfait : des excréments « ornent » le mur de la pièce à côté des crachats et des graffitis obscènes et injurieux à l'égard de la gendarmerie. La puanteur l'obsède et la cuvette maculée des toilettes lui soulève le cœur.

Une heure après l'arrivée au dépôt, un gendarme le menotte à nouveau. Commence alors un parcours du combattant dans des galeries en sous-sol, dignes de celles d'un cirque romain, où l'on croise de pauvres hères traînés comme lui par un gendarme. « Tout le monde a son chien », pense-t-il. Son pantalon privé de ceinture lui tombant sur les reins, il faut essayer de le retenir avec les pouces, ce qui tend la laisse et serre les menottes. Tout à coup, au bout d'un escalier, une porte s'ouvre sur une lumière éclatante. C'est la galerie des juges d'instruction de la section financière. Il y a du marbre par terre, des portes vernies en fausses boiseries ; tout l'éblouit. Tiré en avant par la laisse des gendarmes, ce qui provoque une nouvelle chute du pantalon, il croit voir Dhampot et un autre avocat s'agiter dans des robes noires, mais ils sont écartés d'un geste par le garde mobile qui s'arrête comme un robot devant une porte et y frappe trois coups secs.

– Frédéric Lartel est là, comme vous l'avez demandé, monsieur le juge.

Assis derrière un bureau rectangulaire, le juge Lehachant, 45 ans, l'allure sportive, jette un « merci » bref au garde derrière lequel se profilent les deux avocats.

– Gardes, sortez le témoin. Laissez-le s'entretenir tout à l'heure avec ses conseils. Je vous rappellerai. Entrez, entrez, chers maîtres, je ne veux pas présager de ce que donnera l'interrogatoire de première comparution, mais je pense sérieusement, d'après le procès-verbal de garde à vue, mettre en détention votre client. Je vous ai déjà confié le dossier tout à l'heure. Combien de temps voulez-vous pour vous entretenir avec votre client ? Une demi-heure ? Bien. Maître Dhampot, je veux vous voir un instant.

Fratic s'en va.

– Maître Dhampot, commence le juge, vous avez pu constater, en regardant le dossier, que vous êtes cité comme ayant été l'un des rédacteurs des actes d'acquisition de Préfinbat. Vous pouvez donc être entendu comme témoin. Mieux vaudrait que vous ne laissiez pas votre client vous désigner dans la procédure. Comme cela, nous n'aurons pas de conflit et personne ne pourra dire que vous avez été écarté du dossier.

– Merci pour cette sollicitude, monsieur le juge ! J'en parle à mon client tout de suite.

Frédéric, acclimaté à la lumière de la galerie, voit ressortir Dhampot du bureau du juge. L'avocat fait signe à Fratic puis à Frédéric. Ils entrent, en compagnie du garde, dans un minuscule placard en verre à deux entrées, meublé d'une table et de deux chaises. Fratic demande qu'on détache Frédéric.

À l'étroit dans ce réduit transparent, Dhampot sort de son cartable une barre chocolatée.

– Mange-la, ça te donnera un peu de tonus. Bon, Fratic et moi on a regardé le dossier, bien que nous n'ayons pas encore été désignés. Le juge ne veut pas que tu me prennes comme conseil. Inutile de faire des difficultés là-dessus. J'avais prévu le coup. C'est pour cela que j'ai prévenu Fratic.

– Vous n'avez pas de chance, dit Fratic. Votre juge est un excité à la différence de son collègue d'à côté. Un vrai saint laïc, lui ! Lehachant va vous placer en détention. Il croit détenir l'affaire du siècle qui va le faire mousser. J'ai lu vos déclarations. Elles n'étaient pas nécessaires. Mais comme Stanislas de Janchais avait déjà expliqué l'existence d'un compte suisse de Préfinbat, les policiers étaient sur la voie. Vous leur avez inutilement appris l'origine du prêt allemand pour votre appartement et les fausses études pour entretenir vos clients étrangers. Ils avaient des éléments pour se poser des questions, mais maintenant, avec vos déclarations, le juge a de quoi vous placer en détention provisoire pour abus de biens sociaux, dans l'espoir de vous faire parler et raconter ce qu'il croit être l'une des plus grosses affaires de financement des partis politiques depuis URBA.

Épuisé, affamé, le visage dévoré par une barbe qui

le démange, Frédéric écoute les deux avocats tout en revoyant les trente-six dernières heures au ralenti. Son caractère continue à le faire réagir dans le sens primitif de ce que les psychologues appellent la « persistance du besoin ».

– Où est l'issue pour moi, là-dedans ?

– Probablement à la chambre d'accusation, répond Fratic. Lehachant est un peu en retard sur ses collègues. Certains d'entre eux, pas tous, se sont livrés au type d'exercice dont vous êtes la victime et en sont revenus. À la galerie financière, on a tendance à prendre des gants maintenant dans la plupart des cabinets de juges. Il n'est pas du tout certain que la chambre d'accusation qui est saisie des appels de mise en détention apprécie les méthodes de Lehachant qui, je le sais, est très critiqué.

– C'est quoi, ce type ?

– Un juge d'instruction comme on en voit parfois.

– C'est ça, la justice ?

– Cher Frédéric Lartel, lui dit gentiment Fratic, ne commencez pas comme ça, sinon vous êtes perdu. Prenez cette aventure comme une maladie, pas autre chose. Nous en reparlerons. Pour l'instant, le juge va procéder à un interrogatoire de première comparution. Vous me désignerez comme avocat. Vous confirmerez vos déclarations à la police judiciaire. Ensuite, il organisera un débat avec un substitut du procureur de la République qui, du bout des lèvres, sollicitera votre mise en détention. Je protesterai. Il décidera de vous placer sous mandat de dépôt. Vous déclarerez faire appel et demanderez un référé liberté. Ensuite, vous serez embarqué probablement à la Santé où je vous rendrai visite dès demain.

– Si je comprends bien, dit Frédéric, c'est un petit jeu.

– Si vous voulez, de même que la maladie joue avec

l'organisme. C'est comme cela qu'il faut voir les choses, en s'habituant à ce qu'elles aillent de plus en plus mal.

En quinze minutes, l'affaire est expédiée. Le juge dicte à sa greffière : « Il résulte des propres déclarations du mis en examen qu'il aurait commis les infractions de faux et usage de faux, abus de biens sociaux, recel. Des sommes considérables ont été passées à l'étranger dans des conditions illicites et pour un usage illicite, dont une partie lui a profité personnellement. La reprise de Préfinbat par l'équipe Lartel et le sort d'une commission de 10 millions de francs nécessitent des investigations qui ne font que commencer. La détention provisoire est l'unique moyen d'éviter une concertation entre les mis en examen et une pression sur les témoins, et de permettre une conservation des preuves. En outre, ces faits troublent gravement l'ordre public. »

– Monsieur le juge, je fais appel et demande un référé liberté.

À l'issue de la petite cérémonie, la greffière sort le formulaire. Frédéric le signe.

– Au revoir, monsieur. Maître, je vous convoquerai prochainement, mais probablement pas avant un mois. Je serai absent du 1er au 16 juillet. C'est ma collègue, Mme Lepetit-Durand, qui me remplacera pendant mes vacances.

Après un dernier questionnaire humiliant sur ses maladies et ses éventuels traitements médicaux, égrené par le juge afin de renseigner la prison, Frédéric signe le procès-verbal et se lève en même temps que le garde qui lui remet les menottes puis recommence à le tirer par la laisse.

– Monsieur le juge, puis-je m'entretenir un instant avec mon client ?

– Pas de problème, maître.

À la sortie du cabinet, Dhampot les attend.

– Alors ?

– Pas de surprise, dit Fratic.

Tous les quatre sont debout dans le couloir. Le garde s'impatiente.

– Le référé liberté ne sert à rien, dit Fratic. Ça se passe par écrit. En revanche, je compte beaucoup sur l'audience de la chambre d'accusation qui aura lieu dans une huitaine de jours. Vous y comparaîtrez personnellement. Je viendrai vous voir demain à la Santé. Préparez-vous à la prison. Bon courage. Ce que vous avez connu n'est pas encore le pire. Ne vous étonnez de rien...

Complètement groggy, Frédéric reprend son parcours du combattant dans les sous-sols du Palais, direction le dépôt. Le convoi pour la Santé est constitué de vingt personnes. À 21 heures, c'est la montée dans le fourgon sans menottes. De part et d'autre d'un couloir central, des petits box. Frédéric prend place. Sa grande taille ne lui permet pas de caser ses jambes dans cette espèce de réduit d'où l'on ne voit rien quand la porte est refermée car les fenêtres sont dépolies. À 2 h 45, le fourgon stoppe une première fois. Puis une deuxième, après une manœuvre précautionneuse avant un virage sur lui-même et un recul de quelques mètres. « La Santé, tout le monde descend », crie un gardien en ouvrant les deux battants de la porte arrière du fourgon. Arrivée dans une grande salle. Il faut encore se déshabiller complètement. Les vêtements sont à nouveau méticuleusement fouillés. Cette fois, c'est à quatre pattes qu'il faut se mettre pour présenter son anus au gardien... Ensuite, direction le greffe, où Frédéric reçoit un numéro d'écrou, se fait photographier de face et reçoit sa carte d'identité de détenu. Dans la pièce suivante, c'est la prise d'empreintes digitales des deux mains.

Tout ce qu'il a sur lui, y compris le Témesta confisqué par la police puis restitué, lui est de nouveau repris. Il conserve lunettes et stylo. Un gardien lui donne son paquetage sous forme d'une couverture pliée en baluchon qui contient deux draps, une paire de chaussettes, un rasoir, un savon, un paquet de mouchoirs en papier, une assiette à soupe, trois couverts, un verre et un bol. Le passage à la douche est impossible car il est maintenant 22 h 30 et il n'y a plus de pression.

Dans le bâtiment à droite, voici la première division des « entrants ». Un gardien lui ouvre une cellule déjà occupée. Deux personnes, Philippe Duval, 50 ans, courtier en assurances, écroué pour abus de confiance (sans doute un détournement de primes), et « Paul », 25 ans, petit braqueur. Au fond à droite, un point d'eau et une cuvette de toilettes. « C'est la première fois qu'il faudra que je fasse mes besoins en public », se dit Frédéric dont le regard se pose ensuite sur les six œufs durs placés sur une table à côté d'un croûton de pain et d'une pomme. Après avoir sommairement fait son lit, Frédéric tombe comme une masse et dort d'un sommeil sans rêves jusqu'à 8 heures.

À son réveil, toujours pas lavé ni rasé, abandonnant son barda, il est emmené à la visite médicale. Radio pulmonaire, prise de sang, conversation avec le médecin et une jeune assistante sociale. Il faut déjà savoir par cœur son matricule. Ensuite, visite du sous-directeur qui lui donne une affectation. À 11 heures commence à filtrer dans la prison une mauvaise odeur de poisson. C'est le déjeuner, sauté sans grand regret. N'étant pas considéré comme un VIP – la troisième division, celle des « personnalités », terriblement surchargée depuis quelques mois –, c'est vers le bloc A de la cinquième division que Frédéric doit se diriger. À 14 heures, il refait son paquetage dans la couverture grise, chemine dans les couloirs de la première division, traverse la rotonde en pleins travaux, entre dans le boyau qui conduit au parloir des avocats. Au bout, une grille, une quinzaine de marches usées, puis à gauche, deux étages d'un escalier en colimaçon. Encore à gauche, une dizaine de mètres. Enfin sa cellule. Plus petite que celle de l'arrivée : 12 m$^2$, deux lits, une chaise, une table, une télé, pas de glace. Il va vers le point d'eau et décide de se raser à l'aveuglette en se servant du savon contenu dans la couverture. Opération difficile compte tenu des trois jours de barbe. « Lundi, mardi, mercredi... Je n'ai pratiquement pas pensé à Caroline et aux enfants, se dit Frédéric. Comment se débrouillent-ils après ce qui nous est tombé dessus ? Vais-je les voir ? » Assis sur son matelas, il se prend la tête entre les mains. La sensation de ses joues lisses lui redonne un instant conscience de lui-même. « Trois jours que je ne me suis pas changé ni lavé. Trois jours pendant lesquels je ne sais pas ce qui s'est passé au bureau. Je ne vois pas comment ils vont affronter le tapage médiatique. Quel impact catastrophique sur les clients, les banques, les fournisseurs ! Et les gosses à l'école, avec leurs copains qui auront regardé la télé. La tête des commerçants devant Caroline ! » Un bruit de clé le tire de son désespoir.

– Lartel, parloir avocat.

Frédéric sort de sa cellule, marche au milieu de bruits qu'il commence à bien identifier : cris des gardiens, portes refermées, tours de clés, brouhaha diffus. Une lumière entre le gris ardoise et le jaune sale enveloppe les structures métalliques qui font ressembler le bloc à une sorte de paquebot à plusieurs ponts tous situés dans la cale. Il flotte une odeur très spéciale, sorte de mélange de soupe poireau-pomme de terre et de crasse, à laquelle s'ajoutent les effluves des derniers repas servis (aujourd'hui le poisson). Virage à droite. Descente de l'escalier du parloir avocat dont les marches polies sont creusées par les pieds de générations de détenus. De part et d'autre d'un large couloir sont disposés une dizaine de petits box meublés d'une table en Formica et deux chaises, le tout parcimonieusement éclairé par un vasistas à barreaux tout près du plafond et par un tube au néon. Robert Fratic fait les cent pas dans le couloir lorsque son client descend l'escalier.

– Nous sommes au 6.

Fratic ouvre sa serviette et en sort deux sandwichs.

– En principe ce n'est pas réglementaire, précise-t-il, mais vous n'avez pas dû encore pouvoir manger, et je prends ça sous mon bonnet. Mettez-vous bien face à moi, mangez et buvez votre café. Ça ne se verra pas du couloir. En fait, les gardiens passent très rarement et n'inspectent pratiquement jamais derrière la porte vitrée la « réception » par les avocats de leurs clients. Pendant que vous vous restaurez, je vais vous expliquer certaines choses. Je ne connais pas personnellement Dhampot, qui est un très bon professionnel du droit des affaires. À Paris, nous sommes une brochette d'avocats pénalistes un peu connus, ayant la soixantaine. Une grande partie de la clientèle nous est adressée de l'intérieur de la profession, par d'autres confrères qui ont confiance en nous. Dhampot a dû suivre la filière classique, interroger quelques avocats, recevoir deux ou trois noms et me choisir en fonction du « profil » de l'affaire. Je ne vous cacherai pas que les clients s'exagèrent beaucoup l'importance de l'avocat. Sous prétexte que nos services sont chers, que nous portons le même costume que les juges et que le client n'a personne d'autre pour l'aider, on nous donne un pouvoir que nous n'avons pas. Que ce soit bien clair : la machine à broyer pénale française n'accepte qu'à contrecœur la présence d'un contradicteur. Le rôle traditionnel de l'avocat, appelé « baveux » – ce n'est pas un hasard –, c'est de faire de grands discours quand les carottes sont cuites. Dans l'imaginaire de trop de juges, c'est ça. Certains avocats – et vous entendrez des noms en prison – prétendent « bien connaître » le juge et en profitent pour se faire payer des honoraires en rapport avec cette prétendue intimité. Mettez-vous bien dans la tête ceci : c'est du vent. Le juge n'est pas un personnage que les avocats font pleurer parce qu'ils le connaissent bien ; le juge est un professionnel qui obéit à une logique, la sienne et celle de la procédure. Il n'en dévie qu'au terme d'un rapport de forces, avec ce handicap que c'est lui qui tient le rasoir – la mise en détention – tandis que nous n'avons que des raisonnements à lui opposer. Je suis respecté par les juges car je n'essaie jamais de copiner avec eux, mais simplement d'utiliser au mieux un rapport de forces qui, à la base, ressemble à une course entre un pur-sang et un âne – ce dernier étant l'avocat bien sûr. Il y a des affaires dans lesquelles, si les gens étaient assez forts de caractère pour accepter l'inévitable, l'avocat ne servirait strictement à rien sauf dans l'imaginaire. Je vous le disais hier, c'est comme pour la maladie. Le médecin, bien souvent, n'est là que pour soutenir le moral quand le cas est désespéré. Ce sont des soins palliatifs. Votre cas n'est pas de ceux-là. Bien sûr, votre vie a été saccagée en trois jours. Je n'y peux rien. C'est un problème à part à traiter en tant que tel. Trop de juges, comme Lehachant, s'en fichent complètement. Ils sont comme des militaires : le type devant eux n'est pas un homme, mais un objectif. Un coup de lance-flammes, c'est abstrait ! Pour Lehachant, vous n'existez pas. Vous n'êtes qu'une bouche qui peut lui apprendre quelque chose. Inutile d'essayer de l'apitoyer, il ne s'identifie pas à l'autre. En plus, il vit dans une complète impunité. Même s'il vous tuait en vous laissant en détention – et ça lui est déjà arrivé avec un inculpé jadis – ça n'affecterait pas sa carrière.

– Et ses collègues laissent faire ?

– Ses collègues n'ont aucun pouvoir sur lui. Seule la chambre d'accusation contrôle ses décisions juridictionnelles.

– C'est rassurant...

– Non, mais plus tôt vous aurez compris toute l'horreur de la situation, plus tôt vous vous armerez pour la supporter. Encore une chose : vous êtes un homme normal, nanti d'une conscience morale banale. Pour le moment, la douleur que vous ressentez n'est qu'extérieure : vous êtes sale, vous mangez peu et mal, vous avez été humilié par la fouille, la presse, le juge, les gardiens et, à certains égards, par moi-même, votre avocat qui essaie de vous donner le plus vite possible des moyens de survie. Demain vous allez être soumis à une douleur intérieure. Souvenez-vous d'une chose avant de comparaître devant le juge : vous m'avez dit : « C'est ça, la justice ! » et je vous ai répondu : « Si vous commencez comme ça, vous êtes mort. » Pourquoi ? Parce que vous êtes pris dans une pince. La justice qui vous est appliquée, elle est comme ça. Vous n'allez pas la changer. Vous allez seulement en jouer avec l'aide de votre « guide d'Afrique » : moi, l'avocat. Donc, si vous commencez à vouloir vous plaindre d'elle, vous ne pouvez que vous perdre car il n'y a rien à faire. Vous ne lui donnerez aucune leçon. Mais ce n'est pas le pire.

– Je peux attaquer le deuxième sandwich ? demande Frédéric, qui commence presque à retrouver son humour devant le tableau apocalyptique de Fratic.

– Allez-y. Le plus dur de tout est encore à venir. Parce que très vite vous vous apercevrez que la justice reste impassible devant vos critiques, vous finirez par vous demander si elle n'a pas raison, vous lui chercherez des excuses et vous essaierez désespérément de vous trouver coupable de quelque chose qui explique la catastrophe qui s'est abattue sur vous. C'est vous qui vous broierez tout seul, terminant le travail de la terrible machine. Quand la maladie nous tombait dessus jadis, la tendance naturelle était d'y voir la punition de Dieu. Cet archaïsme a presque disparu du domaine médical, mais on le retrouve dans le domaine judiciaire. Lorsque le monde dans lequel vous vivez explose, il faut trouver une raison à l'explosion. La plus simple est encore de dire : « C'est de ma faute. » C'est apparemment moins douloureux que de penser : « Il n'y a pas de justice. » Vous verrez, supprimer l'existence de la justice dans votre esprit provoque une angoisse encore plus grande que l'acceptation d'une faute. C'est toute notre éducation qui est en cause. Je pense que d'ici quelques jours, vous allez commencer à penser que vous avez eu tort d'acheter la société dans ces conditions, de continuer les pratiques de vos prédécesseurs pour disposer d'une caisse noire, et d'acheter votre appartement en vous servant provisoirement de ces fonds illicites. Normalement, c'est vous qui serez votre plus terrible procureur. Je suis là essentiellement pour empêcher cela.

– Et vous prenez cher pour ce travail ? demande Frédéric avec un petit sourire.

– 2 000 francs de l'heure hors taxes, répond Fratic du tac au tac.

– À combien évaluez-vous la totalité de vos honoraires ?

– Ça dépend de la tournure de l'affaire. Je vous propose de me faire parvenir 120 000 francs tout de suite. Je vous envoie l'état de mes diligences à la fin du mois pour que vous vous rendiez compte, et on en rediscute.

– Et pour ce prix-là, qu'est-ce que j'ai ?

– Peut-être votre liberté la semaine prochaine. En tout cas la certitude de ne pas ressortir de cette aventure dans l'état où vous y êtes entré, mais plus dur.

– Si je n'en meurs pas...

– Je suis là pour ça. Mais vous savez, il y a différentes manières de mourir de ces épreuves. La pire est celle qui brise intérieurement les gens qui deviennent ainsi des morts vivants. C'est pourquoi, dès le premier jour, je m'occupe de l'après ! Pourquoi aussi je vous dis tout cela aujourd'hui.

– Vous êtes nombreux à travailler ainsi ?

– Quelques-uns. Je ne le fais d'ailleurs qu'avec les clients capables de comprendre. Avec les autres, j'agis comme mes confrères, dans l'implicite, avec beaucoup moins de mots, juste quelques indications à chaud. Mais dans le fond, la plupart de mes confrères vivent les situations comme moi, même s'ils sont plus hypocrites.

Intéressé par la précision de cette mise en garde, mais préoccupé par des détails concrets, Frédéric demande :

– Quand pourrai-je disposer de vêtements propres ?

– Votre femme s'en occupe. C'est demain qu'il lui sera possible de déposer votre linge. Mais il vous faut aussi mille francs pour cantiner.

– C'est quoi ?

– Acheter à la « cantine » les divers objets et aliments qui manquent dans l'ordinaire de la prison – papier-toilette, yaourts, rasoirs, etc. Pour le permis de visite, poursuit Fratic, elle s'est présentée chez le juge qui l'a délivré. Il devrait arriver à la prison vendredi. Normalement, dès samedi elle pourra vous voir. Maintenant, le président de la chambre d'accusation va statuer sur votre référé liberté, au plus tard vendredi. Aucun espoir de l'obtenir. Ça ne marche jamais, mais je l'ai fait pour marquer le coup. J'ai rédigé un mémoire. Il n'y a pas de plaidoirie. En revanche, je pense que dès la semaine prochaine, nous aurons une audience sur votre liberté. Vous comparaîtrez personnellement et je pense que nous avons une bonne chance de succès.

– Sinon ?

– En cas d'échec, nous pourrons renouveler les demandes à volonté. Mais il est peu probable que le juge change de position. Au maximum, vous êtes là pour six mois. C'est la loi parce que vous êtes primaire et l'infraction est délictuelle.

– C'est-à-dire ?

– Vous n'avez jamais été condamné et la procédure suivie contre vous concerne un délit et non un crime.

– Et au final, quelles sont les perspectives ?

– Comme vous n'êtes pour rien dans la disparition de la commission en Suisse et que vous avez géré votre caisse noire dans l'intérêt de votre société, je ne vois pas le tribunal, s'il est saisi de l'affaire dans deux ans, vous infliger une peine autre qu'avec sursis. Le seul problème est celui des preuves de l'emploi des fonds. À part l'emprunt *via* l'Allemagne, on ne va pas vous imputer de dépenses non justifiées. La preuve négative de l'absence d'enrichissement personnel sera rapportée. La preuve positive de l'emploi des fonds sera beaucoup plus délicate, car je suppose que nous allons avoir du mal, compte tenu de la nature des dépenses et des bénéficiaires parmi vos clients, à disposer de témoignages. C'est le moins qu'on puisse dire !

– Mais l'emprunt pour mon appartement, ça ne va pas choquer les juges ?

– Si, indiscutablement, c'est le point faible. Mais le point fort est que vous avez déjà commencé à rembourser, même si 50 000 francs sont peu de chose. Cela marque votre intention. Votre affaire n'est pas mauvaise. En fait, elle n'existe que parce que vous êtes pris dans une tornade médiatico-judiciaire et que le juge pense que vous pouvez lui apprendre beaucoup. Ce qui plaide pour vous, c'est aussi le fait que vous n'avez pas inventé le système de caisse noire, vous n'avez fait que le poursuivre. Je ne vois pas mal du tout votre avenir judiciaire. Pour le reste, c'est vous qui savez mieux que moi.

– Qu'est-ce que je dois faire à la chambre d'accusation ?

– Vous parlerez en dernier. Soyez vous-même, dites ce que vous avez sur le cœur. Expliquez brièvement pourquoi et comment vous avez repris cette caisse noire suisse et faites-leur savoir que vous ne savez rien d'autre.

– Est-ce que vous avez parlé à Dhampot de l'entreprise ?

– Oui. Il est encore trop tôt pour connaître l'effet de cette histoire sur les banques, la clientèle et les affaires en cours. Je vous ai tout dit à propos du plus urgent. Maintenant, je vous quitte et reviendrai vous voir demain matin à la première heure.

Après un coup de sonnette de Fratic, le gardien arrive, ouvre la porte et ramène Frédéric en cellule. Drôle de personnage ce Fratic. Frédéric ne parvient pas encore à se faire à l'idée qu'il participe à un petit jeu avec ses rôles, ses règles, ses interdits. À la prison, on est censé déjà tout savoir en arrivant. Fratic lui a peut-être permis d'avoir de l'avance en lui dévoilant d'un seul coup toutes les affres par lesquelles il devrait passer. Un auxiliaire de justice, voilà le mot que cherchait Frédéric pour définir l'avocat. Le terme n'est pas enthousiasmant.

Une curieuse impression l'envahit, venue de très loin. Il a 5 ou 6 ans ; rien de ce qu'il veut n'est accessible ; il faut passer par un autre pour manger, dormir, se déplacer, s'habiller. « Pourtant, dès cette époque, le gosse que j'étais se disait que personne ne pourrait l'empêcher de penser ce qu'il veut. Non, rien ne peut m'obliger à faire ce que je ne veux pas faire. Me revoici dans la même situation de dépendance absolue, d'abord dans la main de ce juge, puis de trois autres ; maintenant, derrière la porte de ma cellule, je ne dispose plus de moi-même, bientôt on va me donner à manger sans que je décide ni de l'heure ni de ma nourriture. Pour le cornet de frites, 3 francs ont été débités de mon compte, comme si j'avais une tirelire de mes parents. »

Il a soudain le sentiment de voir toute une partie de sa vie qui se détache. « Quand j'ai eu pris conscience de ce que l'on ne pourrait pas me contraindre autrement que physiquement, j'ai accepté, j'ai pactisé. Je suis entré dans la société de mes parents, je me suis forcé à être propre, à pisser là où on me le disait, à ne pas tricher ni voler. J'ai adhéré aux convictions familiales, j'ai souffert de leurs échecs et de ceux du parti, je me suis réjoui des succès. J'ai bien travaillé à l'école, j'étais discipliné, bon camarade. Après 68 me voilà devenu bon petit soldat de la vente, bon consommateur, bon époux. On aurait presque pu me dire à 48 ans en me tapotant le visage : " gentil le chien ". En trois jours toute ma vie se déglingue, comme si pour la justice tout cela ne comptait pas. Quarante ans d'efforts pour en arriver là, assis sur un lit dans une cellule. Parce qu'un juge a besoin de moi pour faire mousser son ego. »

Une grande terreur le saisit, tempérée par la phrase de Fratic qui résonne dans sa tête : « Si vous commencez comme ça, vous êtes mort. »

En fin de journée, la porte de la cellule s'ouvre pour laisser entrer un homme souriant, d'une quarantaine d'années, assez distingué.

– Bonjour, je m'appelle Alexandre Balsamic.

– Frédéric Lartel.

– Tu es là pour longtemps ?

– Je ne sais pas. Peut-être jusqu'à la semaine prochaine.

– C'est bien d'être optimiste ! Moi, c'est pour une période indéterminée.

– Pourquoi ?

– Escroqueries diverses et variées, c'est ma profession. Je suis un escroc professionnel. Depuis vingt ans, avec les conditionnelles, j'ai passé la moitié de ma vie derrière les barreaux.

Frédéric ressent pour la première fois une solidarité sincère avec un délinquant. Il a l'impression de rencontrer un artiste dans les coulisses.

– Combien de fois condamné ?

– Quatre fois : deux ans, trois ans, quatre ans, cinq ans. Et toi ?

– Moi, c'est un premier contact !

– Ça s'arrose !

Et Alexandre de prendre un couteau sur la table et de taper avec le manche sur un tuyau de chauffage passant sous la fenêtre. Quelques minutes après, la même canalisation retentit de coups semblables.

– Y a rien à boire ce soir, sauf du yaourt ! C'est mieux que rien. Tu as des cigarettes ?

– Oui.

– On va échanger un demi-paquet de clopes contre une bouteille de yaourt. OK ?

– Comment faire ?

– Le yoyo !

Alexandre sort de sa poche plusieurs fils à coudre dont il fait une mince tresse terminée par un nœud coulant enserrant habilement le paquet de cigarettes aussitôt balancé par la fenêtre jusqu'à la cellule voisine puis, de fenêtre en fenêtre, jusqu'à son destinataire. Cinq minutes après arrive par le même moyen une bouteille de yaourt à la fraise.

– Et toi, qu'est-ce que tu fais là ? demande Alexandre.

– On m'a collé sur le dos une histoire de financement de partis politiques avec une caisse noire rachetée en Suisse.

– Et qui t'a fait ce bébé-là ?

– Un honorable centralien de 70 ans.

– Alors, tu es peut-être un client pour moi ! En plus tu as fait des études poussées. Tu as économisé, tu te lèves tous les jours à 6 heures du matin et te couches à 11 heures. Tu donnes du boulot à de braves types qui veulent bosser et tu te trouves là avec moi ! C'est dégueulasse !

L'appréciation d'Alexandre va droit au cœur de Frédéric qui voit sa situation appréciée par un vrai professionnel. « L'appréciation d'un voleur vaut bien autant que celle d'un juge », pense-t-il.

– Moi, j'ai compris à 20 ans que je n'étais pas fait pour l'insertion. Les gens qui vivent dans la vertu me donnent le bourdon. D'ailleurs, moralement, ils ne sont guère meilleurs que moi. Par exemple, Lehachant, le « hachoir » que j'ai connu autrefois et qui t'a mis en taule, ce qu'il t'a fait là est beaucoup plus grave que ce qu'il te reproche. Qu'est-ce qu'il y a de plus immoral qu'un mec qui détourne la loi pour en faire chanter un autre ? Dans mon livre d'histoire à l'école, je me souviens d'une image : les « chauffeurs », les bandits de grands chemins, brûlant les pieds des pauvres paysans pour avoir leur magot. En plus, le magot pour le juge, c'est de la « balance » pour coincer un autre mec. Lamentable ! D'ailleurs, je pose la question : quel est le meilleur ? Celui qui se lève le matin en se demandant comme moi comment il va conduire sa petite escroquerie du jour, ou celui qui commence sa journée en pensant à ceux qu'il va boucler dans les heures qui suivent ? Chacun cherche comment il va faire ch... son prochain. Mais il y en a un qui reconnaît que c'est à son profit et pour son plaisir, et l'autre qui jouit en clandé, bien à l'abri de sa loi et de ses flics. Et quand je parle de plaisir, je suis injuste avec nous, les voyous. Tiens, par exemple, à 20 ans, j'ai commencé avec l'escroquerie au mariage : j'étais beau gosse, j'ai commencé par les rebuts, les vieilles filles de 35-40 ans qui n'avaient jamais vu le loup. C'est vrai, je leur en ai soutiré de l'argent avant de me faire prendre. Mais les filles, je les aimais vraiment, pas seulement pour leur argent. Elles n'auraient jamais pu avoir une histoire avec un autre type. Moi, je comprends comment elles voyaient les choses, la vie à deux, le couple. Ça n'avait rien à voir avec la réalité. Alors je leur créais un monde tout rose. Moi-même j'étais sincère dans mon rôle. D'ailleurs, quoi de plus explosif qu'une vieille encore jeune à qui tu fais découvrir le paradis ? Jamais elles ne l'auraient connu sans moi ! L'argent, quelle importance par comparaison !

– Et comment tu t'es fait prendre ?

– J'ai triché, j'ai vu trop gros, j'ai pris une fille de mon âge et pas de mon milieu. Ma morale, moi, c'est de ne pas épouser. Enfin, disons que c'est la règle du jeu. Celle-là, c'était une petite bourgeoise très coincée, d'une famille riche. Il a fallu publier les bans. J'avais des affaires en cours et de gros besoins d'argent qu'elle soutirait aux parents. On a tout répété jusqu'au dernier instant, lancé les invitations, réservé l'église. Puis, comme au poker, il y a un moment où il faut voir. Alors à midi, ils ont vu, ou plutôt lu le télégramme que je leur ai balancé : « Ne peux venir à mon mariage, lettre suit. » Ç'a été très mal. Le père a branché directement le préfet de police sur le coup. Je me suis fait arrêter. Ils ont retrouvé quelques autres de mes clientes. Résultat : deux ans ferme. Pour une ouverture de rideau, c'était soigné.

– Et ensuite ?

– J'ai décliné. Tu sais, l'arnaque, c'est toujours la même chose. De même que le parricide est la mère de tous les crimes, comme aurait dit Coluche s'il avait connu Saddam Hussein, l'escroquerie au mariage est la mère de toutes les escroqueries du monde.

– Pourquoi donc ?

– Parce que l'escroqué a besoin de son escroc comme l'escroc de sa victime. On se raconte des histoires, on y croit. Moi je donne le corps, l'autre l'argent.

– Et tu peux vivre comme ça ?

– Mais oui. Beaucoup mieux que tous les autres « insérés ». Regarde autour de toi : ceux qui ne travaillent pas, les chômeurs, quelle tristesse ! Résignés, l'air de chiens battus, pas d'argent. Ce sont les victimes de la vertu. Le métier de voyou devrait prospérer parmi eux. Mais ils n'en sont pas capables. Ils préfèrent crever que de voir la société comme un gros gâteau en se frottant les mains tous les matins à l'idée d'en couper un morceau. Quant à ceux qui bossent comme toi, quelle grisaille ! Jamais d'utopie, d'illumination, de paillettes. À côté, il y a les rois, ceux qui font semblant d'être dans le coup, dans la norme et en profitent pour être des voyous. Ça, c'est la classe. Et puis arrive le nouveau riche sur le marché : certains hommes politiques pour lesquels tu paies aujourd'hui. Ils ont tout : le pouvoir, les femmes (quand ils les aiment), l'argent en espèces ou dans des paradis fiscaux, et comme c'est pour le bien du parti, ils ne se rendent même pas compte de ce qu'ils font.

– Et toi ?

– Moi, je me rends compte. D'ailleurs, les psy que j'ai rencontrés en taule, désignés par un juge d'instruction, ont écrit dans un rapport que ma « socialisation » avait été ratée. Ils ont raison. J'assume. Dix ans de taule contre dix ans à prendre mon pied, je suis d'accord. D'ailleurs, en taule, je me cultive. J'ai fait des études : bac la première fois, et licence de psycho la deuxième, la troisième et la quatrième. Ça m'a professionnalisé. Je travaille mieux maintenant...

– T'as pas un peu honte parfois en te disant que tu vis sur la bête ?

– Et toi, t'as pas l'air un peu con de me dire ça dans la position où t'es ?

La pertinence du propos d'Alexandre lui coupe toute réponse.

– On en reparle demain. OK. Bonne nuit.

A 21 heures, tous les détenus sont bouclés en cellule. Quelques bruits de morse encore dans les canalisations et puis progressivement plus rien.

Frédéric dort sans rêves jusqu'à l'arrivée du café du matin. Alexandre se réveille difficilement et garde une mine renfrognée. Nous sommes jeudi matin. Enfin la douche. Il n'y en a que deux par semaine, davantage pour les malades sur prescription médicale. Les dix minutes sous l'eau sont d'une douceur infinie pour Frédéric. Mais le rhabillage dans des vêtements de quatre jours l'est moins. Déjà sentir la mauvaise odeur des autres est une épreuve, mais la sienne... Fratic n'a pas tort. « Je suis malade, comme à l'hôpital. Ma cellule c'est une chambre à deux, ça me fait mal pour mon bien. Non, ce n'est pas ça. » À l'hôpital, sur une table d'opération, les souffrances qu'on endure sont tendues vers une guérison. Mais en prison ? Par exemple, les fouilles humiliantes à quatre pattes sont soi-disant nécessaires pour des raisons de sécurité. Tout ce qui vise à empêcher d'aller et venir repose sur du rationnel. La discipline en général obéit aux mêmes raisons. « Mais au moins à la caserne, se dit Frédéric, toutes ces règles avaient pour objet de me permettre de faire quelque chose, la guerre par exemple. Alors que la prison n'a pour fin que de me priver de liberté. À l'hôpital, je souffre pour guérir. À l'armée, je souffre pour mon pays. En prison, je souffre pour satisfaire à l'organisation de ma privation de liberté. Chaque humiliation de détail participe d'une humiliation d'ensemble. » Satisfait d'avoir trouvé une définition de ce qu'il ressent, Frédéric n'en respire pas mieux pour autant, tel un homme qui viendrait juste de se rendre compte de la manière dont on lui a lié les pieds et les mains.

Avant de le ramener en cellule, le gardien le conduit au parloir des avocats.

– Je vous donne toutes les nouvelles, dit Fratic. Votre référé liberté vient d'être refusé ce matin. En revanche, après ma démarche au parquet général, j'ai pu faire audiencer votre affaire pour mercredi matin. J'ai parlé au président qui va prendre l'affaire. C'est un ancien juge d'instruction. Je ne suis pas sûr qu'il apprécie les méthodes de Lehachant. J'ai bon espoir de vous sortir.

– Et la boîte ?

– Ça tourne. Ils s'organisent sans vous. Il n'y a toujours pas de réaction à votre incarcération.

– Et ma femme et les gosses ?

– Moins bien. Les enfants ont refusé d'aller à l'école hier et ils ont dit à leur mère qu'ils n'iraient pas tant que vous ne seriez pas sorti.

– On leur a dit que j'étais en prison !

– Votre femme a pensé que ça valait mieux, compte tenu de ce que leurs petits camarades leur diraient quand ils retourneront en classe.

– Je vais leur faire un mot que vous leur transmettrez dès ce soir.

– Impossible.

– Comment ça « impossible » ! Vous ne pouvez pas transmettre une lettre de moi à mes propres enfants ?

– Exactement : les avocats n'ont pas le droit de transmettre de lettres, fût-ce aux enfants de leurs clients.

– C'est monstrueux.

– Les lettres doivent passer par la prison. Elles sont éventuellement communiquées en copie au juge d'instruction et peuvent se retrouver dans le dossier.

– Que faire pour leur transmettre un message ?

– Vous pouvez m'écrire. Je leur lirai la lettre que vous m'adressez. Seules les correspondances avocat-client échappent à la lecture de l'administration pénitentiaire et du juge.

– C'est ridicule !

– Non, c'est hypocrite et mieux que rien.

– Je fais tout de suite la lettre. « Mon cher Maître, Vous m'avez indiqué qu'Antoine et Julie avaient refusé d'aller à l'école tant que je ne serais pas sorti de l'endroit où je suis. Je vous remercie de leur faire savoir que j'exige que dès demain matin ils aillent en classe normalement. Vous leur expliquerez pourquoi je suis retenu et leur direz que je les embrasse. Il faut qu'en mon absence Antoine et Julie obéissent strictement à leur mère. » Je vous souhaite bon courage, maître.

– Ne vous faites aucun souci. Depuis quarante ans, j'ai l'habitude. Je les verrai tout à l'heure avec leur mère.

– À propos, quand vient-elle me voir ?

– Le permis de visite a été délivré par le juge hier. Il devrait arriver à la prison aujourd'hui. Votre femme appelle cet après-midi la prison pour prendre rendez-vous. À mon avis elle sera là samedi matin. Elle vous a envoyé un mandat de 1 000 francs et vous apportera de quoi vous changer le jour du linge, c'est-à-dire demain.

– Donc, vous avez vu le président ?

– Oui.

– Le financement des partis politiques, les comptes suisses, ça l'excite ?

– Probablement.

– Il est de quelle tendance politique ?

– Ça n'a pas vraiment d'importance.

– Et de quel syndicat ?

– Aucun. Vous savez, monsieur Lartel, le monde de la justice tel que vous l'imaginez ne correspond à aucune réalité. Comme beaucoup de Français, vous passez d'un extrême à l'autre. À partir du moment où le juge n'incarne pas la justice telle que vous la voyez – immanente, parfaite, quasi divine –, vous tombez dans la trivialité. Je vais vous raconter une anecdote. Un jour, j'ai demandé à une de mes nièces qui attendait un enfant d'un homme dont elle ne voulait pas donner le nom : « Au moins, est-ce que le père est d'accord ? » Et elle de répondre : « C'est plus compliqué que ça ! » Eh bien, vous voyez, la justice, « c'est plus compliqué que ça » ! Ce n'est pas parce que vous avez été mis au trou par un juge cow-boy que tous les juges sont des cow-boys. D'un autre côté, même si certains magistrats dérapent, leurs collègues sont très attentifs à ne pas en donner trop l'impression, car cela affaiblirait leur propre pouvoir en tant qu'institution ; enfin, dans l'ensemble, il y a aussi dans ce corps des justes et des saints, comme partout. Lehachant ne fera pas une très belle carrière à l'instruction. En revanche, à force de casser du bourgeois, il finira bien par changer de fonction, probablement pour un département d'outre-mer dans lequel il convoite un poste depuis quelques années et qui lui a échappé à la fin de ses fonctions dans l'Est. Ce sera une belle promotion. Plus il exagère en cognant, plus il ira vite là où il veut car on se débarrassera de lui. Si vous êtes jugé par un président socialiste, il pourra mettre un point d'honneur à montrer son indépendance du moment où elle sera soupçonnée. Idem avec un magistrat de droite ou d'extrême droite, sauf si le sujet heurte ses conceptions religieuses ou morales. Beaucoup de juges désapprouvent les excès des juges d'instruction, mais la Cour de cassation prend bien soin de ne pas trop les décourager parce qu'ils sont populaires en ce moment. La chambre d'accusation de Paris, devant laquelle vous allez comparaître mardi, entérine la plupart du temps les décisions du juge d'instruction. C'est pour cela que nous appelons ses membres les « évêques », parce qu'ils « confirment ». Mais de temps à autre, il lui faut quand même manifester qu'elle existe, sinon, à ses propres yeux, elle perdrait son identité – et tous les hommes aiment le pouvoir et l'idée d'être juste. De même, si nous perdions foi en elle, si le jeu judiciaire ne comportait plus du tout d'incertitude, il cesserait d'exister. Il faut bien que ce que nous faisons ait parfois un résultat, sinon nous finirions par déserter les prétoires et les juges se retrouveraient tout seuls. Or ils ont besoin de nous pour avoir le sentiment de remplir leur office. Je sais que tout cela est difficile à supporter en plus de ce que vous endurez déjà, mais c'est la réalité.

– Et l'avocat général, qu'est-ce qu'il va dire ? Qu'est-ce qu'il aura reçu comme instructions ?

– Là encore vous vous trompez. La justice a changé. Le parquet ne fonctionne plus comme jadis d'une manière militaire. Le ministre de la Justice donne des directives. Encore faut-il que l'affaire soit « signalée » à la direction des affaires criminelles et des grâces.

– Est-ce le cas ?

– Sans aucun doute. S'agissant d'une mise en cause d'un parti politique, le garde des Sceaux est sûrement informé.

– Il va essayer de pousser ou d'écraser l'affaire ?

– Non.

– Comment « non » !

– Pas obligatoirement. Comme le disait un ancien garde des Sceaux de droite qui sortait du monde de l'entreprise avant de prendre ses fonctions place Vendôme : « C'est la première fois que je suis responsable d'une boîte dont je ne suis pas le patron ! » Le pauvre garde des Sceaux se voit prêter un pouvoir qu'il n'a pas. Son cabinet ressemble à une armée de galériens en sueur s'essoufflant sur des avirons qui, pour la plupart, ne touchent même pas l'eau. D'abord, le garde des Sceaux n'a pas barre sur Lehachant. Il suffit qu'il en manifeste le désir pour que toute l'affaire lui pète à la figure et le mette en cause personnellement. Ensuite, même si le ministre, par la voix de son directeur de cabinet, actionne le directeur des affaires criminelles et des grâces, magistrat responsable de l'action publique au ministère de la Justice, celui-ci ne donne pas d'ordres à proprement parler au procureur général de Paris : il donne parfois, très rarement, une orientation qui ne permet pas d'étendre ou de restreindre l'action publique comme on tourne un robinet. S'il n'y a pas trop de cochonneries dans le dossier, si le juge d'instruction en fait effectivement trop, si l'ambiance est bonne au parquet général, s'il s'y trouve un ou quelques avocats généraux qui partagent l'opinion que le procureur général aura adroitement sollicitée, on peut commencer à espérer un petit quelque chose. Votre maintien en détention n'est pas juste. En tant que tel, vous n'intéressez pas le garde des Sceaux, non plus que le parquet général. Aucune chance de se mobiliser pour vous. En revanche, commettre une injustice inutile dans une affaire de ce genre est toujours dangereux pour la suite. Certains membres du parquet le savent. De plus, l'occasion de damer le pion à Lehachant sur un « bon » cas est aussi très tentante. Ça ne coûte pas cher et c'est toujours ça de pris pour limiter l'autorité d'un homme qui en abuse et qui va continuer. L'inconvénient est médiatique. Les médias sauront brocarder le parquet si celui-ci prend une position trop nette. Lehachant est populaire chez eux. Il leur fournit des infos. On a même dit qu'un jour *Le Canard* avait reçu de lui en fax un procès-verbal d'interrogatoire qui n'était pas encore signé par le mis en examen ! Vous voyez l'intimité ! Tout cet ensemble fait que peut-être le parquet général a audiencé habilement l'affaire devant une chambre d'accusation composée de magistrats plutôt favorables à la liberté avec un avocat général partageant les idées du procureur général. À l'audience, nous pouvons donc nous trouver devant des réquisitions modérées qui, sans prendre de front l'ordonnance du juge d'instruction, laissent la porte ouverte à votre mise en liberté. Tout se passera dans les nuances.

– Je vois, dit Frédéric. Ce jeu judiciaire s'apparente

non seulement au jeu de l'oie, mais aussi au poker menteur.

– Je dirais plus exactement un jeu qui mélangerait les dés et les cartes.

– Et vous arrivez à vivre là-dedans ?

– Mal. Au début j'ignorais tout de ce que je vous dis là. J'oscillais entre ce que décrit la phrase de Mallarmé « un coup de dé jamais n'abolira le hasard », un monde complètement aléatoire et cynique où tout se réduit à l'influence et à la manipulation, et à l'autre extrémité de la chaîne un univers naïf et candide où seuls le droit et l'équité triomphent toujours et encore. Je n'ai commencé à être efficace que le jour où j'ai compris que rien n'était aussi simple. Ce fut douloureux, mais sûrement moins que pour mes clients à qui j'apprends la même chose très brutalement.

– À votre avis, ils ont une idée de ce qui s'est passé véritablement dans ce dossier ?

– Écoutez, nous avons déjà assez de mal à nous occuper de ce que nous savons pour nous épargner de gamberger sur ce que nous ignorons. En matière judiciaire, mieux vaut ne pas se mêler de ce qui ne nous regarde pas directement.

– Je me demande toujours l'intérêt que mes vendeurs avaient à me vendre officiellement une caisse noire à la moitié de son prix réel.

– Je l'ignore aussi. Mais peut-être avaient-ils intérêt à sortir de l'argent officiel. Le « noir » est une servitude. Ils voulaient aussi vous compromettre en vous faisant racheter la société avec ses scories. Pour moi, vous avez servi d'alibi ou de couverture à des opérations antérieures que vous ignorez. Mais contrairement à ce que les policiers vous ont dit, Stanislas de Janchais n'a pas avoué grand-chose, et ce que la presse a raconté n'est que le fruit de leurs spéculations alimentées par Lehachant ou par les policiers.

– Pourquoi vouloir me compromettre ?

– Pour que vous défendiez une utilisation purement commerciale de la caisse noire et qu'ils puissent dire la même chose en noyant le poisson du financement politique, s'il y en a. Ne cherchez pas, ça ne sert à rien. Et retenez ces deux grandes règles du jeu pénal : d'une part, on ne tire jamais sur son voisin, sauf contrainte absolue, la défausse est la pire des défenses ; d'autre part, on ne parle que de ce que l'on a connu directement. Les Américains ont un principe, celui du *hearsay*, le « ouï-dire » ; tout *hearsay* est écarté par les tribunaux. En France, nous n'avons malheureusement pas cette règle rigoureuse. Mais les mis en examen ont intérêt à la respecter pour eux-mêmes.

– Qu'est-ce que je dois faire maintenant ?

– Vous habituer à cet état un peu spécial. Vous avez à supporter la maladie du mis en examen, mais aussi la maladie de la détention. La prison rétrécit l'univers physique et mental. Pour prendre une image horrible, c'est comme un écartèlement à l'envers : une sorte d'implosion. Votre univers se rétrécit. Tout va prendre une importance et une échelle différentes. D'abord, il faut s'habituer à savoir que le désir est toujours loin de sa satisfaction. Vous voulez une douche ? pas possible. Vous voulez recevoir des journaux ? ça se fait, mais pas tout de suite. Vous avez mal aux dents ? il faut attendre quinze jours ou trois semaines le rendez-vous chez le dentiste. J'ai même un client, l'année dernière, qui s'est arraché une dent tout seul. Vous voulez voir le sous-directeur ? il passe trois jours après. Vous avez besoin d'un médicament ? l'infirmerie ne l'a pas, il faut le commander... C'est la première grande coupure. Comme si vous aviez une boîte d'allumettes dont une sur trente s'allumerait. Rien que cela transforme l'univers mental. Votre tête est encombrée d'événements minuscules et sans aucun intérêt qui prennent la place de toutes les autres préoccupations d'avant. Vous êtes dans le règne de l'infiniment petit. L'organisme et le psychisme s'y adaptent. Ce qui explique que même si elle n'a passé que huit jours en prison, la personne qui recouvre la liberté est saisie d'une immense fatigue, la vie normale devient trop intense, trop lourde, trop stressante. Ces coups d'accordéon sur le psychisme sont terriblement toxiques et je vois parfois mes clients plus mal peu après leur remise en liberté qu'au bout de quelques jours de détention.

– Si je comprends bien, tout est noir. Vous n'avez pas un peu d'espoir à me donner ?

– Si. Vous comprenez ce que je vous dis, donc vous avez une chance de vous en sortir sans être estropié. Pensez à l'avenir.

– Vous vous moquez de moi ? Mon avenir est foutu. Je risque la faillite de ma boîte. J'ai mis mes enfants dans une situation impossible. Comment puis-je avoir de l'autorité sur eux, moi, leur père, qui suis allé en prison ? Pour parler comme mon compagnon de cellule, Alexandre, ça va drôlement les « socialiser » à 6 et 10 ans de savoir que le représentant de l'autorité chez eux a dormi à côté des assassins d'enfants, des escrocs et des cambrioleurs. Comment voulez-vous qu'ils s'y retrouvent ? Mon image de père est complètement bousillée, mes banques vont me laisser tomber, ma femme peut me soupçonner des pires turpitudes. Et moi-même, à mes yeux, comment voulez-vous que je me refasse ?

– Justement, pensez à l'avenir. Essayez de vous dépouiller en esprit de tout ce qui fait votre richesse apparente. On vous a mis tout nu à la fouille, vous avez touché le fond de l'humiliation. C'est cet homme-là, à quatre pattes, exposé aux regards indifférents d'un autre homme, qui m'intéresse et donc qui *vous* intéresse. Est-ce que cet homme-là peut se redresser, regarder dans les yeux son gardien sans haine, continuer à exister en dehors de tous ses habits, de son argent, de son métier, de ses banques, de sa voiture ? Pardon d'employer cette image cruelle, mais votre situation actuelle ressemble à celle de ces malades gravement atteints qui se retrouvent à l'hôpital dans un demi-coma et revoient leur vie. Beaucoup dans ce cas découvrent ou redécouvrent un sens à cette vie.

– Mais vous voyez, cher maître, il y a une grande différence avec votre image d'hôpital ! La maladie n'appartient pas aux hommes, ni à celui qui l'attrape, ni à celui qui la soigne. Moi, ce sont des représentants de la société qui m'ont mis au trou, ce sont les gardiens de l'ordre public, ce sont des gens qui, en principe, permettent à la société à laquelle je me suis adapté de tenir debout. Or, ils se sont retournés contre moi, la société se retourne contre moi. Quelle place voulez-vous maintenant que j'y retrouve ? Si je fais redresser cet homme nu à quatre pattes dont vous parlez, il ne sera plus le même en sortant de la pièce que celui qui y est entré. Vous aurez peut-être gagné une deuxième affaire car je ne réponds pas du tout de ce que je pourrai faire. Je serai redevenu un sauvage si je suis capable de survivre.

– Peut-être, mais je préfère un sauvage à un mort vivant comme j'en ai vu beaucoup dans ma carrière. Des hommes qui se font dépouiller peu à peu de tout ce qu'ils possèdent, mutiler lentement, petit bout par petit bout, membre après membre, dans une sorte de supplice chinois sans fin. Ces plaies vivantes n'ont plus aucun endroit pour vivre. Après avoir été soutenus, puis plaints par leurs proches, ils finissent par fatiguer tout le monde. Leur supplice éloigne le reste de leurs amis et, s'ils le cachent, l'effort qu'ils fournissent pour y parvenir épuise toute leur énergie. Certains s'en sortent en devenant des bouffons, s'exhibant dans la société et jouant le rôle d'imprécateurs contre la justice, les juges et les avocats. Mais une fois leur numéro accompli, ils reviennent dans leur cercueil social. Ne partez pas dans cette voie-là.

– Je vais essayer.

– Je vous abandonne provisoirement. Je reviendrai vous voir samedi pour vous présenter le mémoire que je compte déposer à la chambre d'accusation. D'ici là, essayez de vous habituer à l'idée d'un avenir différent. Je ne crois pas que les qualités que vous avez déployées jusque-là soient épuisées au point de ne pas vous permettre de reconquérir une autre place, différente sans doute, mais non moins passionnante.

À la différence de certains, peut-être trop gâtés par la vie et qui cessent de trouver l'existence intéressante lorsque celle-ci tarit ses largesses, Frédéric n'est pas rebuté par l'effort. Cette idée de « nouvelle donne » évoquée par l'avocat ne le heurte pas, au contraire. Lorsque la porte vitrée du parloir se referme et qu'il faut remonter lentement les marches au bout du couloir pour rejoindre son bloc par l'escalier en colimaçon, Frédéric remercie Dhampot de lui avoir trouvé pour avocat cet homme imprévu qui lui permet de prendre de l'avance sur l'événement au lieu de se laisser traîner par lui jour après jour. « Je suis averti de la fièvre à venir, de la douleur qui va se développer et je vais m'y préparer. »

À 18 heures, Frédéric arrive juste à temps pour tendre sa gamelle à la porte de la cellule et recueillir un médiocre brouet ayant un rapport lointain avec de la daube de bœuf. Alexandre s'est assagi comme si son numéro de la veille avait épuisé pour un temps ses réserves d'énergie. La fatigue commence dès 20 heures à s'abattre. À 21 heures, c'est le sommeil respecté par son voisin devenu professionnel dans l'art de partager une cellule et de se comporter correctement avec un codétenu.

Vendredi n'apporte rien, sauf des vêtements de rechange déposés par Caroline. 11 h 30 déjeuner, 17 h 30 dîner agrémenté de deux cornets de frites à 3 francs, en remplacement du poisson qui ressemble étrangement aux restes de mercredi. Puis promenade dans la cour du bloc A, de long en large sous un grillage, comme des faisans d'élevage qui piètent. Samedi après-midi, nouvelle visite de Fratic. Étude du mémoire devant être déposé au plus tard mardi, veille de l'audience. Dimanche, Frédéric voit avec curiosité Alexandre partir pour la messe : « Une occasion de bouger, de voir du monde », lui dit celui-ci goguenard.

Lundi, visite de Caroline. En effet, le permis de visite ayant subi des vicissitudes dans son acheminement n'était pas prêt pour samedi. De part et d'autre d'une table en bois sale, Caroline explique à Frédéric qu'après le rendez-vous avec M$^{e}$ Fratic, les enfants ont accepté d'aller à l'école le vendredi précédent. L'onde de choc médiatique ne s'est pas encore fait sentir. Caroline est allée voir le directeur de l'école pour l'informer de la situation. Bonne démarche, bien accueillie par un homme scandalisé de la manière dont la presse met aujourd'hui au pilori petits et grands. Frédéric n'est pas le premier cas connu du directeur, mais le troisième de cette année scolaire. « Ce sont les mœurs d'aujourd'hui, il faut s'y habituer. » Si un élève en agresse un autre pour un motif judiciaire concernant les parents, il est aussitôt convoqué par la direction, se fait frotter les oreilles et expliquer brièvement ce qu'est la présomption d'innocence. Les élèves se voient rappeler la phrase de l'Évangile : « Ne fais pas à autrui ce que tu ne voudrais pas qu'on te fasse », thème repris par les parents le soir.

– Ça fait progresser l'éducation civique, se moque Frédéric.

– Tous nos amis se sont relayés au téléphone pour prendre des nouvelles. Ils ont même proposé de se cotiser pour payer ton avocat et la caution s'il y avait besoin.

– Et le bureau ?

– Je n'ai pas encore de nouvelle inquiétante.

– Les voisins et les commerçants ne te tournent pas le dos ?

– Au contraire, on me plaint, on te plaint, tout le monde est très gentil.

– Et que dit Dhampot ?

– Il est moins gai. Il pense que tu vas avoir une vérification fiscale approfondie à la boîte et sur ton compte.

– Je sais, dit Frédéric. Ce qui me tue le plus dans cette situation, c'est que je retrouve des réflexes que nos parents tenaient de la guerre. Ils ont connu cette ambiance. Arrestation à l'improviste, perquisition, menottes... Eux se battaient dans la Résistance. Moi je me bats pour rien du tout. La brigade financière n'est pas la Gestapo, et je ne suis pas un résistant. Je ne peux même pas me considérer comme un malheureux quand je vois les pauvres types, Maghrébins, Africains, des blocs B, C et D à la prison... Ça va être dur de nous reconstruire après ce maelström, penses-y.

– Peut-être avons-nous eu tort de vivre comme nous

l'avons fait, dit Caroline. Pourtant, cela n'avait rien d'extravagant.

La visite d'une demi-heure se termine. Palpé à l'entrée du parloir, Frédéric est fouillé à la sortie, nu comme un ver. « On doit finir par avoir l'obsession de son cul ici au bout d'un certain temps », pense-t-il.

Lundi après-midi et mardi se passent sans événement particulier ponctués simplement par l'heureuse arrivée de fruits de la cantine et par la télévision qu'Alexandre accepte de ne pas brancher en continu depuis 7 heures du matin comme dans d'autres cellules. Mardi soir, Alexandre est excité comme un bookmaker à l'idée de la journée de Frédéric devant la chambre d'accusation le lendemain.

– Qu'en pense ton avocat ? Qui est le président ? Quels sont les assesseurs ? Comment s'appelle l'avocat général ? Quelle section de la chambre d'ac' ?

Alexandre est curieux de tout et semble prendre toutes les réponses de Frédéric comme s'il s'agissait de jockeys, de chevaux, de handicaps pour le prochain tiercé.

– Fratic, il est pas mal, commente-t-il. Doué, très doué. Un peu théorique parfois, m'ont dit des copains qui l'ont eu. Il connaît le terrain. Quand j'ai commencé ma carrière de voyou, il y a vingt ans, il n'était pas infaillible, mais il était déjà bon. Il a tout fait : petite et grande correctionnelle, assises. Il a aussi une clientèle commerciale prospère. Il a commencé tôt et très vite, trop vite. Il s'est cru arrivé à 30 ans. Puis il a déchanté. Avocat, c'est un métier de vieux. Faut que le client ne puisse pas terminer la lecture de tous les faits d'armes parce que c'est trop long et que ça le fatigue. Fratic a compris cela, et aussi qu'il faut de bons collaborateurs. Tous ceux que j'ai interrogés en sont contents ici. Seulement, il est cher. Faut avoir les moyens. Il refuse la fraîche, alors avec les 20 % de TVA, peu sont capables de se l'offrir ici. Tu vas t'en coller entre 400 000 et 600 000 balles. Il est aussi capable de travailler à l'œil ou presque. Quand il a défendu l'accusé du meurtre de la petite Chloé la semaine dernière, il n'a même pas dû pouvoir couvrir ses frais. Il en est sûrement de sa poche. Les gens ne se rendent pas compte. Le proc', les avocats généraux, les juges, les flics, les experts, tout ça c'est payé grâce à tes ronds. Tandis que nous autres, comment faire pour payer nos défenseurs, et eux, comment s'en sortent-ils s'ils n'ont pas de quoi payer leurs collaborateurs, leurs secrétaires, leur loyer ? Quand je fais mon boulot de voyou, j'en mets toujours un peu de côté pour l'avocat. On finit par comprendre à force d'être usager du système. J'ai fait le calcul : pour moi, à chaque fois, ça coûte 600 000 francs au temps passé pour payer les gens qui me mettent dedans. Mais j'économise 300 000 pour payer l'avocat afin qu'il me mette dehors. Tu me diras : pourquoi si cher puisque ça ne change rien ? Erreur ! D'abord on ne sait jamais comment peut tourner une affaire. Parfois, dans des combinaisons financières tordues, le parquet peut essayer de vous faire condamner non pas à cinq ans mais à dix ans. De plus, je risque la récidive. Donc le danger est toujours là. Être défendu, c'est une garantie de se voir appliquer le tarif. Ne pas l'être, c'est risquer de voir la machine s'emballer. Un bon résultat devant un tribunal est un résultat banal. La seule surprise est la *mauvaise* surprise. Ton président, il est compliqué. Je l'ai vu à l'œuvre pour des camarades lorsqu'il était juge d'instruction. Il tape, mais il voudrait qu'on dise merci parce qu'il aurait pu taper plus fort. Les deux assesseurs, je ne les connais pas. Ils doivent venir de la juridiction civile, ou avoir juste quitté la province. Quant à l'avocat général, c'est une vache. Il l'a toujours été depuis qu'il est procureur. Et vicieux avec ça, dangereux pour les avocats. Il ne se contente pas de requérir et de demander une peine, il plaide ce que pourrait plaider l'avocat et mine tous les arguments de défense possibles les uns après les autres. Il a de bons résultats.

– Tu crois que j'ai une chance ?

– Si Fratic te dit oui, c'est oui. Mais la décision de justice, comme l'escroquerie, n'est pas une science exacte. Tout peut arriver, le meilleur comme le pire. C'est la dure loi du sport.

Frédéric ferme difficilement l'œil pendant la nuit, chaque petit bruit de la nuit lui chatouillant l'estomac et le réveillant aussitôt.

À 6 h 30, bruits de clé dans la serrure. C'est « l'extraction ». Une chemise propre sur le dos. Frédéric retrouve le fourgon aux cellules trop étroites. Arrivée à la souricière. « Tiens, c'est propre ! » Il reste une cellule musée avec ses moisissures et ses graffitis : « Ne me secouez pas, je suis plein de larmes. » Rien à voir avec le dépôt de mardi soir : les travaux viennent d'être faits, c'est encore propre et presque lumineux. Encore la fouille. À chaque changement de compétence, la procédure recommence. Normal, ici on passe de la pénitentiaire à la gendarmerie mobile. Encore le trou de balle. « Décidément c'est une manie. Qu'est-ce qu'ils imaginent qu'on puisse trimbaler ? Cet endroit-là n'est quand même pas un râtelier, un baudrier ou une réserve de munitions ! » Frédéric est dirigé vers l'une des quarante cellules réparties en quatre galeries sur deux niveaux.

À 8 heures, sortie de cellule menotté. Encore un long cheminement dans les entrailles du Palais. Un panneau jauni dans un souterrain avec inscrit « Silence ». Toujours cette odeur indéfinissable d'urine et d'eau de Javel dans une nuit artificielle et fraîche, et pourtant étouffante à cause du manque de ventilation. Arrivée dans la cellule d'attente de la chambre d'accusation. Quatre gendarmes sont là. Frédéric est enfermé dans une cellule grillagée semblable à la volière d'un zoo. De volière en volière on se parle. La chambre d'accusation a douze affaires de liberté ce matin et huit affaires de règlement de dossier – pas trop chargée pour un matin de juin.

À 9 h 30, menottage et démenottage à l'entrée de la salle d'audience. La pièce est entièrement neuve. Toujours ce bois peint façon précieux. À droite, la greffière tapote sur son clavier d'ordinateur. Au centre, trois magistrats. Un président un peu maigre entouré d'un homme rondouillard et d'une dame à l'air absent. À gauche, l'avocat général, grisonnant, au visage en lame de couteau. Tout à côté du box dans lequel est assis Frédéric, un banc perpendiculaire ; derrière, M^e^ Fratic, l'air un peu fatigué, se tient souriant et lui tend la main.

– Vous parlerez en dernier, lui dit l'avocat, et seulement si je vous dis que c'est utile !

Le président prend la parole et commence à faire un résumé assez détaillé, objectif. Il rappelle correctement les incertitudes du dossier et le refus de répondre de Frédéric dans la dernière partie de son interrogatoire par la brigade financière. Tous les mots sont prononcés d'une voix faible parasitée par le clapotis du clavier de la greffière qui semble être aussi peu consciente du bruit qu'elle fait que le porteur d'un Walkman. En cinq minutes, le récit est achevé. C'est au tour de Fratic de prendre la parole. En quinze minutes, il reprend tous les éléments du dossier, décrivant en quelques phrases son client comme un jeune homme méritant d'une famille modeste, bien inséré à force de travail et de volonté. Ce type même d'entrepreneur dont le pays a besoin, qui ne se contente pas d'un bon salaire de cadre dans une grosse entreprise mais veut monter la sienne. Fratic évoque le courage de reprendre une entreprise en difficulté, de sauver des emplois ; la confrontation en dernière minute avec la caisse noire qu'il assume et achète finalement un bon prix ; le rattrapage du marché avec le Ghana, la continuation des pratiques pour « entretenir » les clients étrangers. Et puis cette sottise, le prêt par une banque de Stuttgart pour l'acquisition de son appartement en prenant de l'argent dans la caisse noire, argent qu'il a commencé dès les deux premières années à rembourser. Rien de malhonnête, rien qui permette à aucun moment de suspecter Frédéric de faire partie d'un vaste réseau de « taxis » permettant de drainer des fonds vers un parti politique.

– Cette hypothèse est médiatique plus que judiciaire, plaide Fratic. Regardez la méthode. Comme l'accusation est faible, il faut la soutenir, la vivifier par une communication médiatique. Le surlendemain du jour où Stanislas de Janchais est arrêté, Lartel est lui aussi interpellé. C'est un mardi. La nouvelle est dans toute la presse. Cela signifie qu'une dépêche de l'AFP a été lâchée dès lundi matin. D'ailleurs, la voici. Comment commence-t-elle ? « D'après les milieux proches de l'enquête, etc. » Dans l'après-midi, voici l'article du *Monde* qui, vous le savez, boucle maintenant avant 10 heures du matin. Le lendemain, revue de presse : *Libération* pleine page, *Le Figaro* un entrefilet, *Les Échos* et *La Tribune,* presse économique, focalisent sur Préfinbat. Sans oublier *Le Canard enchaîné.* Vous constaterez d'ailleurs que c'est une affiche pour le juge. En page 4, voici plusieurs affaires dont il s'occupe, où il a placé en détention provisoire des responsables d'entreprises. Aujourd'hui, une affaire se bâtit d'abord dans les journaux et avec la prison. On excite le public d'un côté en soutenant son indignation. On place en détention de l'autre pour faire parler. Qu'est-ce que ces pratiques ont à voir avec la justice ? Que signifie cette mise en détention ? Ce que vous connaissez de cette affaire justifie-t-il de briser, broyer préventivement une vie de travail en pleine ascension, en pleine maturité ? Pourquoi générer un trouble familial si grave et provoquer une humiliation sociale aussi lourde et probablement difficilement réparable ?

La démonstration convaincante apporte de l'oxygène à Frédéric pour la première fois depuis une semaine, comme si le traitement carcéral avait déjà commencé à produire ses effets atrophiants sur sa résistance au sentiment de culpabilité. Pour terminer, Fratic aborde la question de la caution :

– D'abord, il n'en est nul besoin. M. Lartel n'a pas l'intention de fuir à l'étranger. On sait d'ailleurs aujourd'hui que même l'Uruguay n'est plus sûr. (Léger sourire des magistrats, bien que le nom de Médecin ne soit pas prononcé.) Une caution reviendrait à substituer une demande de rançon à une prise d'otage. Au motif que Frédéric Lartel gagne plus d'1 million de francs par an, certains seraient tentés de lui demander 500 000 francs. C'est impossible à payer. 500 000 francs, pour moi, cela représente 1 million avant impôt. En profession libérale, pour générer 1 million de francs de bénéfice, il faut recevoir 2,5 à 3 millions de sa clientèle. Et, dans une entreprise, les ratios sont encore plus spectaculaires. Vous allez l'obliger à vendre sa maison dans l'attente de la solution définitive de cette affaire, avant même que les juges du fond qui sont là pour cela viennent dire s'il doit être puni. Ou alors vous allez le contraindre à faire la quête auprès de ses amis, ce qui est aussi une punition préventive. Frédéric Lartel a tout dit à la brigade financière de ce qu'il savait. Il n'a rien à ajouter. Même dans la logique du juge d'instruction, sa détention ne sert à rien. C'est un pari qui n'a pas d'objet et qui, de surcroît, est judiciairement indécent. Je vous demande de remettre Frédéric Lartel en liberté, purement et simplement, et de montrer ainsi que l'autorité de la justice se fonde davantage sur la confiance qu'elle inspire que sur la brutalité qu'elle exerce.

– Monsieur l'avocat général, vous avez la parole.

– Deux simples observations, monsieur le président. Tout d'abord, le parquet n'est nullement responsable des fuites observées par la défense dans cette affaire. Je demande à la cour et à la défense d'en prendre acte. Ensuite, je m'en rapporte à mon réquisitoire écrit sollicitant le maintien en détention.

– Monsieur Lartel, voulez-vous ajouter quelque chose ?

– Allez-y, dit Fratic.

– Monsieur le président, madame et monsieur, je travaille honnêtement depuis vingt-huit ans. Je n'ai pas changé de mœurs ni d'habitudes après l'acquisition de Préfinbat. Je suis pris dans une affaire qui me dépasse et à laquelle je ne comprends rien. Je vais probablement être ruiné moralement et matériellement après l'éclatement de cette affaire dans la presse. C'est injuste. Laissez-moi au moins me défendre dehors.

– L'arrêt sera rendu en fin d'audience, annonce le président.

Brièvement, Fratic apostrophe Frédéric :

– C'était très bien. Rendez-vous cet après-midi.

Déjà Frédéric est emmené par les gendarmes quittant des juges pressés de voir arriver l'affaire suivante.

Réintégration dans la volière. « Qu'est-ce qu'il veut dire par " rendez-vous cet après-midi " ? se demande

Frédéric. Dehors, à son cabinet, ou en prison ? » À 10 h 30, sortie de la cage, redescente aux enfers souterrains qui, de plus en plus, lui font penser aux images des livres d'école sur l'Antiquité : Charon faisant traverser l'Achéron aux âmes des morts ; le silence, les couloirs sombres qui serpentent ressemblent au fleuve noir mythique. Qu'est-ce que c'est que ces réquisitions écrites de l'avocat général ? Ah oui, Fratic m'avait dit, c'est la position officielle du parquet. Modérée d'ailleurs. À 12 h 30, retour au fourgon vers la Santé avec la fournée de « demandes de liberté » de la matinée. Encore un repas de sauté ! Arrivés à la Santé, direction la fouille... À 15 heures, réintégration de la cellule avec un soupçon d'envie à l'égard des chiens tenus par une longue laisse à enrouleur. Les poignets font très mal, la peau est à vif après les nombreux entravements et désentravements. Alexandre est dans un état d'excitation intense.

– Alors, raconte ! Comment ça s'est passé ?

– Je ne sais pas.

– En as-tu vu un dormir ?

– Oui, la femme. En tout cas, elle fermait les yeux avec un sourire béat comme une sainte en contemplation.

– Ah, ça va. Lorsqu'ils tombent dans le vrai coma judiciaire, c'est mauvais signe. Ça veut dire qu'ils s'en foutent. Après, ils sortent de la salle d'audience et les hommes se disent entre eux : « Bon, on pisse et on confirme. » Le sourire pendant le demi-sommeil, c'est mieux, ça montre de l'intérêt pour l'affaire. Et le président ?

– Complet, objectif, pas de problème.

– L'autre assesseur ?

– Attentif.

– Et l'avocat général ?

– Il n'a dit que trois mots : qu'il n'était pas responsable des fuites et qu'il s'en rapportait à ses réquisitions écrites.

– Très bien, ça veut dire : « Je m'en lave les mains, faites ce que vous voulez. » C'est la manière habile dans une affaire signalée de montrer que le parquet général et la chancellerie préféreraient que le juge d'instruction soit désarmé.

– Et le résultat ?

– En fin d'audience.

– À mon avis, Fratic va rappliquer dans vingt minutes au plus tard.

De fait, à 15 h 30 précises, le gardien ouvre la porte. « Lartel ! À l'avocat ! » Cette fois-ci, Frédéric trébuche dans l'escalier en colimaçon et descend un peu plus vite que d'habitude l'escalier qui conduit au parloir.

– Alors ?

– C'est non !

– Non ?

– Ils vous gardent. Avec une motivation standard très faible : ils évoquent l'ordre public et la nécessité d'éviter des pressions sur les témoins, la sauvegarde des preuves...

– Qu'est-ce qui s'est passé ?

– Je ne sais pas.

– Et Janchais, où est-ce qu'il en est ?

– Il passe demain.

– Devant les mêmes ?

– Oui. Je l'ai devancé avec ma démarche au parquet général.

Un rideau de fer tombe dans la tête de Frédéric tout occupé à maîtriser ses émotions pour sauver la face.

– Je sais. Vous devez avoir l'impression de vous trouver devant un trou noir.

– Oui.

– Vous savez, malheureusement, les chambres d'accusation ont pris l'habitude de ne pas désavouer tout de suite le juge d'instruction, même si elles en ont l'envie. Souvenez-vous de l'affaire du notaire de Bruay-en-Artois, de l'affaire Laroche dans le dossier Villemin. Tout récemment, rappelez-vous cet épisode tragico-burlesque du président du conseil général de Belfort. Là aussi, bien que le dossier ait été vide, le premier appel de l'ordonnance du juge d'instruction n'a rien donné. Comme je vous l'ai expliqué lors de notre premier entretien, il s'agit souvent d'un enjeu de pouvoir : désavouer les collègues qui le méritent revient à scier un morceau du sabre qu'on agite, le sabre de l'institution. Puis-je vous dire que je ne m'y habitue pas ? À chaque fois, j'en suis malade. Je ne dors plus. Je ne suis pas sûr que ce soit la pitié qui m'étouffe, mais plutôt la fureur. Et depuis quarante ans, je n'ai pas tiré profit de ce que le mépris est beaucoup moins fatigant que l'indignation. À chaque fois que je soupçonne ces gens-là de gérer leur boutique plutôt que la justice, j'enrage.

Fratic n'a pas besoin de se forcer pour décrire ses états d'âme. Avec ses quarante années de métier, il apparaît à tous ceux qui le fréquentent comme un homme solide, une sorte de montagne. Et tous les ans, à chaque rencontre avec l'injustice, la montagne devient volcan. Frédéric est légèrement soulagé par cette éruption qui prend en charge son angoisse et sa douleur.

– Si vous pensez cela, vous imaginez à quel point je me sens seul ? Qu'est-ce donc que la justice, maître Fratic ? Vous allez encore me dire : « Arrêtez, malheureux, vous allez vous perdre. » En vérité, je suis perdu.

– Non, dit Fratic, vous êtes perdu si vous commencez à vous jeter la pierre en vous disant : « C'est de ma faute si je suis là. » Le proverbe dit : « On a vingt-quatre heures pour maudire ses juges. » Faites-le. Sinon vous allez vous mettre à les justifier en retournant votre fureur contre vous-même. Je vous entends déjà vous accuser : « Comment ai-je pu emprunter de l'argent à la caisse noire pour acheter mon appartement ? » Mieux vaut commencer par bien injurier vos juges. Vous émousserez ainsi votre violence qui sera moins toxique en se retournant contre vous.

– On vous dirait spécialiste des antidotes, lance tristement Frédéric.

– Il y a de cela, oui. J'abreuve de mes recommandations mes clients pour éviter qu'ils ne meurent d'angoisse ou de douleur. Avec des intellectuels comme vous, ma tâche est facilitée ; je ne suis pas obligé de mettre de fausses étiquettes sur les potions et de vous obliger à vous pincer le nez pour les prendre. Votre problème est plus grave moralement que celui de beaucoup de mes clients ayant fait des bêtises. Beaucoup sont conscients de ce qu'ils ont fait. Ils attendent dans une angoisse de plus en plus étouffante que la police leur tombe dessus. Une fois incarcérés, ils ressentent ce que Tristan Bernard disait aux Allemands venus l'arrêter : « Maintenant, je vais cesser de craindre et commencer à espérer. » Pour ce qui vous concerne, vous devez gérer une angoisse brute, totale, qui ne peut même pas se diviser en deux parties comme celle des autres.

– Où est la sortie maintenant ?

– Entre les ressources de l'équité, du cynisme et du hasard, qu'avons-nous épuisé ?

– Comment cela ?

– À quoi attribuer la décision de vous garder en prison ?

– Vous l'avez dit : à la volonté des juges de ne pas désavouer un collègue par peur de perdre de leur pouvoir.

– Oui. Voilà pour le cynisme. Le chapitre de l'équité ne semble pas avoir encore donné. Reste celui du hasard.

– C'est-à-dire ?

– Soit quelque chose que nous appelons hasard parce que nous n'avons pas su l'explorer ; soit, au contraire, une circonstance occultée par les juges et qui tôt ou tard se manifestera.

– En bref, vous croyez que je vais sortir un jour quand même.

– Au bout de six mois, sûrement, c'est la loi. Mais plus tôt si l'alchimie de la décision judiciaire n'a pas encore donné toute sa mesure.

– C'est vraiment rassurant !

La manière paradoxale employée par Fratic pour aborder le sujet parvient à dérider Frédéric qui imagine soudain son avocat, parlant par proverbes, tel le vieux sage en caoutchouc de *La Guerre des étoiles*.

– Cher Frédéric Lartel, ne perdez pas courage. Même ceux qui savent coudre ne parviennent pas toujours du premier coup à glisser le fil dans le chas de l'aiguille.

– Encore une image. Mais dans la réalité, qui va s'occuper de ma femme, de mes enfants, et de ma boîte ?

– Pour l'entreprise, ce sera peut-être un administrateur judiciaire prochainement. Il n'y a rien à faire pour l'instant. Quant à votre femme, vous avez épousé une dure. Caroline s'occupe de tout avec autorité et fermeté, sans l'exaltation épuisante que je vois fréquemment apparaître chez des femmes dans cette situation. La seule initiative utile à prendre est de vous concentrer sur vous-même pour ne pas vous casser en morceaux. Je reviendrai vous voir demain.

Frédéric remonte en cellule avec l'impression d'être un coureur parti pour un cent mètres s'apercevant qu'il s'est trompé d'épreuve : encore deux mille mètres à courir. Le découragement l'envahit. Encore six mois à tirer dans cette espèce de paquebot glauque. Il va falloir survivre, s'habituer, faire son trou dans le trou. La montée de l'escalier en colimaçon l'étouffe. « Déjà quand je prends l'ascenseur je me sens claustrophobe. » C'est à l'état de loque qu'il pénètre en cellule devant un Alexandre attentif, immédiatement averti de la situation par l'œil de son compagnon. Instinctivement Frédéric s'oriente vers la cuvette des toilettes, seul endroit de la pièce où, par une convention tacite entre détenus, on peut parfois s'isoler virtuellement. Alexandre lui tourne le dos et fait semblant de compter les fissures du plafond lorsque la respiration évocatrice de sanglots retenus l'oblige à se retourner. La détresse de Frédéric l'émeut tout en l'amusant. Il se rapproche, prend la tête de son compagnon, lui donne une accolade maladroite vu sa position et lance :

– *Sic transit gloria mundi,* mon pote. Il y a quinze jours tu n'aurais pas imaginé te retrouver à la Santé, pleurant sur une cuvette de chiottes, consolé dans les bras d'un voleur. Vas-y, mon vieux, pleure, vide-toi. Ça ira mieux après. J'en ai vu d'autres, le froc baissé et les yeux rougis. Ceux-là, je les respecte plus que ces salauds d'avocats sangsues ou ces petits enc... de juges qui s'astiquent en regardant les mecs souffrir sous leurs ordres bien planqués derrière leurs bureaux et leurs robes à la c...

En activant la chasse d'eau, Frédéric se sent mieux et remercie Alexandre pour avoir prononcé les paroles cathartiques. Maudire ses juges, voilà qui est fait. De surcroît par un porte-parole bien choisi, nanti d'une forte culture judiciaire.

– Qu'est-ce que tu vas devenir, mon grand ? demande Alexandre avec un ton paternel ou fraternel, équivoque ailleurs que dans une cellule de prison.

– Je ne sais pas encore.

– Trop tard pour toi pour devenir un voyou.

– Et pour toi pour devenir un honnête homme.

– Moi, parfois, je voudrais bien m'insérer, devenir honnête, mais c'est plus fort que moi. À un moment donné, je ne supporte pas l'idée de me voir gagner tranquillement ma vie. C'est comme si l'on voulait m'obliger à perdre le goût et l'odorat. Il me faut une aventure. J'ai besoin de créer, d'inventer une histoire, un décor de théâtre, des personnages. Il me faut prendre de l'argent par cette voie. J'aurais dû être metteur en scène de théâtre. Se faire payer pour créer l'illusion, quelle beauté ! Parfois, je suis médiocre. Je pars simplement tout de suite avec la caisse qui aurait pu me payer des années. Toi, c'est l'inverse, honnête, forcément honnête, tu ne pourrais pas résister à l'angoisse de tricher, de tromper. Tu es moulé honnête et te voilà détenu. Je ne vois pas comment tu peux t'en sortir.

– Quand je pense à toutes les contraventions, à tous les impôts que j'ai payés, soupire Frédéric.

– Combien d'impôts ?

– Pas loin d'un milliard de centimes en vingt-huit ans.

– Un milliard ! Tu as filé un milliard à l'État ? J'ai le vertige.

En l'espace de huit jours, Frédéric est passé de l'insouciance confortable d'un homme à qui tout réussit à cette espèce de tas douloureux qui en quatre épisodes aurait perdu sa peau.

– Pour la justice, en fait, je ne suis qu'une merde.

– Mais non, coupe Alexandre. Un caillou ! La

merde c'est trop humain, trop animal. Un caillou, c'est d'un ordre différent. Tu es la chose animée qui présente le moins de similitude avec ce qui vit.

Il se souvient de cet article de *Libération* rapportant la visite du Palais de justice de Paris à l'occasion de la première journée « portes ouvertes », un dimanche de 1990. Un jeune homme, rapportait un journaliste, déambule, le regard plongé dans les plafonds à caissons de la salle des Pas perdus : « Quand on est pris dans cette mécanique de merde, on doit sacrément flipper. » « M'y voilà, se dit Frédéric. Le gosse n'avait pas tort. » L'impression de n'avoir aucune prise sur rien, de ne trouver aucune explication à rien, de ne pouvoir raccrocher la situation à rien épouvante Frédéric. Même l'explication marxiste du monde à laquelle il adhérait étant jeune ne lui procure aucune clé. « Lutte des classes, zéro. Je suis dans les mêmes filets que les types des blocs B, C et D, à la seule différence près que mon bloc A est un peu plus propre que les leurs : moins deux étoiles au lieu de moins trois et quatre. »

– Quand je faisais de la vente, explique-t-il à Alexandre, on m'avait appris l'art du « closing » : l'acheteur ciblé est bousculé comme une boule de billard électrique par des arguments qui ne lui laissent aucune autre échappatoire que d'acheter, de même que la balle du flipper n'a pas d'autre solution que de tomber dans le trou. J'ai l'impression que l'appareil judiciaire est un grand flipper dont je suis la bille. Mais je ne vois pas où il m'emmène.

– Ah, tu ne vois pas ? répond Alexandre. Le trou est un express pour l'infantilisation. Pendant ma licence de psycho, j'ai compris assez bien l'évolution de l'enfant vers l'âge adulte. En gros, un gosse a ses appétits, ses demandes, il ne peut rien faire par lui-même. On le torche, on le fait manger, on le lave, on lui donne de l'affection. Et puis en même temps qu'il grandit, on lui oppose des interdits : interdit de mettre des crayons bille dans l'oreille du petit frère, de voler les bonbons des camarades, puis défendu de tricher à l'école, de mentir. Au moment où le gamin devient indépendant, l'éducation réussie consiste à le socialiser, à le rendre apte à remplir un rôle dans la société, avec d'autres. Quand l'homme adulte commet des infractions, la justice intervient pour refaire le travail raté de socialisation. C'est ce qu'elle essaie de faire avec moi depuis une quinzaine d'années. Le père, la société sont représentés par le juge qui te dit : « C'est pas bien de faire des choses pas bien. » Il te condamne d'abord à une fessée : c'est la prison avec sursis. Ou à une fessée avec présentation des fesses tous les trois mois, par exemple : c'est le sursis avec mise à l'épreuve. Ou à la maison de correction, c'est-à-dire la prison où la discipline, la privation de liberté ressemblent à une éducation forcée avec grand retour en arrière. Cette obsession du trou de balle, c'est ça : « Montre-moi ton derrière pour que je voie si tu n'as pas fait de bêtises avec. » Repas, gamelle, sommeil, lavage à heures fixes. Tu peux faire des études si tu veux, ça c'est bien vu ; c'est la seule chose que la prison peut offrir de positif. L'expérience démontre – en tout cas avec moi – que ça ne résout pas tout. Les études ne sont pas une éducation en soi, et la prison, malgré ses psy, ne peut évidemment pas resocialiser des gens qui ont raté cette étape. La plupart du temps, la prison reprend les adultes à l'état de gosses et leur fournit une autre socialisation, celle qui existe entre quatre murs, celle des voyous. D'ailleurs, pourquoi suis-je capable de supporter si bien la prison ? Ça me repose. Je suis comme un ado qui retrouverait son ordre familial, ses frères, ses cousins, ses camarades. Ah, pour socialiser, elle socialise la prison ! Mais pas comme l'institution le voudrait. D'un autre côté, elle commence par infantiliser en continu parce que ça convient très bien à la justice : la justice n'a pas besoin d'adultes pour fonctionner, mais seulement de gosses obéissants qui, dans le prétoire, au moment du procès, jouent le rôle qu'on attend d'eux. Soit les gros dégueulasses qui font peur, roulent des mécaniques et vont droit à la sanction exemplaire effrayante pour que le bon peuple constate qu'il est bien défendu – tous ces honnêtes gens qui aimeraient peut-être bien voler, violer, tuer quelques emmerdeurs sont récompensés d'avoir suivi le bon chemin par le spectacle de la répression douloureuse du malhonnête dans le box. Ça marche de moins en moins bien car le spectacle est de moins en moins drôle. On a supprimé les supplices. Après avoir placé la guillotine sur les places publiques, on l'a mise dans la cour des prisons, puis cachée dans la prison, et maintenant elle est reclassée au musée des arts populaires. Plus de spectacle. Ça ne va plus ! Le public gueule. Le système marche mal. La peine de mort supprimée, il faut récompenser les gens d'être restés bons citoyens avec d'autres cadeaux. On n'a pas trouvé lesquels. Mis à part ceux qui acceptent de jouer dans le box leur rôle de bons, brutes ou truands, les autres sont les gentils justiciables qui se repentent et redeviennent petits enfants, retombent dans le « oui, m'sieur, pardon, m'sieur ». Autre registre, autre rôle. Tout autant pédagogique. Évidemment, ni les uns ni les autres ne disent la vérité de leur crime ou de leur délit. Ce n'est pas ce qui intéresse la justice. De toute manière, l'infantilisation à laquelle son appareil conduit rend bien difficile le travail des justiciables sur eux-mêmes.

– Tu parais avoir bien réfléchi.

– Oui, suffisamment pour préférer mon mode de vie à celui des bien-pensants.

– Tu ne serais pas un genre de pervers ?

– C'est ce que disent les imbéciles quand ils ne partagent pas les mêmes goûts que toi.

– Mais enfin, tu fais ton métier de voyou et tu parles comme un prof.

– C'est bien la démonstration que l'éducation universitaire ne transforme pas son bonhomme.

– Et tu n'as jamais eu envie de changer ?

– On en a déjà parlé. C'est mon affaire. Je ne crois pas que ce soit possible. Mais ce que je sais, c'est que pour toi, je ne vois pas de reconversion possible. T'as pas besoin d'être resocialisé, tu l'es complètement. Toute ta vie se résume à ça. « Comment m'insérer le mieux possible. » En plus, t'as commencé coco, donc tu as critiqué la société, tu as fait le tour de la question. Tu as vécu là-dedans avec tes parents et puis tu as mûri et après avoir viré ta cuti, tu as sucé toutes les valeurs du moment. Je te dirais bien « retourne à la case départ », au Parti. Mais d'une part il ne reste pas grand-chose de la bête, et d'autre part ton histoire judiciaire te grille pour toute activité politique. Alors, je vais te dire ce qui te menace : te flinguer ou devenir dingue. Se flinguer, c'est le plus simple. Comme dirait l'autre, j'ai bien quelque chose pour m'asseoir, mais je ne sais plus où le mettre. Comme je ne peux plus tenir debout, je me flingue.

– J'y ai pensé. J'y pense encore.

– Ça se comprend. L'autre solution n'en est pas une, c'est une conséquence : tu deviens dingue. Tu comprends, on veut te resocialiser, c'est déjà fait. On veut te faire faire une chose impossible, donc il faut trouver un comportement de remplacement. Donc tu disjonctes. C'est d'autant plus facile que tout ce que tu as appris depuis tout gosse est par terre. T'as fait des sacrifices pour rien. Si tu avais vu l'arnaque que la société te préparait, tu serais peut-être devenu voleur ou escroc, comme moi. Pas la peine, en effet, de s'emmerder depuis le premier âge à faire des efforts si à la première occasion d'erreur, au premier accident ou même au premier hasard, on te renvoie à la case départ, ici, pour recommencer dans les pires conditions un dressage déjà fait. Comme tu ne peux refaire l'histoire et t'improviser voyou à 48 ans, et que tu ne veux pas te suicider, tu deviens fou : tu peux te culpabiliser devant les juges, ta famille, tes proches, tomber dans la dépression, tu peux avoir un cancer ou un infarctus – ça, c'est la version mixte suicide-folie. Tu peux aussi tuer quelques juges. Mais ça ne s'est pas encore vu ! termine Alexandre.

– Pourquoi ?

– Parce qu'il faut atteindre un niveau de fusion interne exagéré. Les seuls meurtres de juges sont techniques et exécutés par de vrais professionnels, pas des fous. En tout cas, pas des fous de justice.

– Tu as autre chose en catalogue ? demande Frédéric en se disant qu'avec Fratic d'un côté et Alexandre de l'autre, il bénéficie d'une formation judiciaire accélérée.

– Les avocats ne disent pas autre chose que les voyous. Ils parlent du même éléphant : l'un le tient par la queue, l'autre par la trompe.

– Que faire alors ?

– Je vais te raconter une histoire. Celle de mon meilleur copain de lycée. Il faisait du planeur à 20 ans. Il s'est cassé la gueule. On l'a amputé d'une jambe, juste au-dessous du genou. Il a voulu remarcher. On lui a mis une prothèse. C'est terrible les prothèses, il en faut six ou huit provisoires, au fur et à mesure que le moignon se cicatrise et se consolide. J'ai vu ce type sur son lit d'hôpital, souffrant de sa jambe qui n'était plus là. Au bout de deux ans, nous avons déjeuné ensemble. À peine pouvait-on déceler une légère difficulté à s'asseoir, à se lever, une petite raideur dans sa démarche. Rien, presque rien. C'est après ce drame et en le voyant revivre, accepter cette mutilation, que je suis devenu voyou. Moi, j'ai accepté de perdre quelque chose, de vivre comme je le voulais avec les inconvénients : la taule. Toi, quand tu sortiras, tu n'auras pas perdu tes jambes, mais ton fric. Tu vas en baver, tu trouveras des prothèses (évite l'alcool), tu repartiras. Au bout d'un an, tous les faux amis, tous les mondains autour de toi auront disparu. Un an, c'est le temps nécessaire pour que le « chic parisien » de fréquenter un voyou disparaisse, tu verras enfin des gens qui ne se donneront pas l'impression de s'encanailler en te rencontrant. Fais comme mon copain. Fais comme moi, mais à l'envers.

Le lendemain au réveil, Frédéric fait l'inventaire de la journée. Aujourd'hui jeudi : douche, télé, promenade. La manière très personnelle qu'Alexandre a de voir l'accident judiciaire parvient même à le distraire dans ce long tunnel de cinq mois et trois semaines. « Je me demande comment font les hommes publics. Eux sont complètement moulés dans la vie sociale. Ils ne perdent pas seulement de l'argent, mais une réputation, un état étroitement imbriqué avec leur image et leur personnalité. Tandis que moi – Alexandre n'a pas tort –, je dois parvenir à isoler ce qui risque d'être ôté de ma vie, c'est-à-dire l'argent, provisoirement, mon " business ". Peut-être que ce ne sera pas une amputation, mais simplement une fracture ouverte. » En méditant sous la douche, l'image de la fracture ouverte s'atténue encore : ce sera tout au plus une entorse. Déjà le deuil de toute une partie de sa vie a commencé. Pour autant, il restera à se reconstruire, à retrouver confiance dans une société qui aura permis cet effondrement. « Mais, dans tout cela comment vais-je réagir concrètement une fois dépouillé ? Ai-je jamais eu de l'affection pour cette société qui m'a permis de me créer cette situation enviable jusqu'à aujourd'hui ? Au fond, je ne me suis jeté dans ses bras qu'après que les Russes se sont précipités sur la Tchécoslovaquie. Je n'ai pas réfléchi à l'époque. L'univers de mes parents s'effondrait pour moi. Aujourd'hui, c'est l'univers des gens d'en face dans lequel je pensais pouvoir m'insérer. Quoi d'autre, maintenant ? Est-ce que ça vaut la peine de recommencer ? Mais où aller ? Heureusement, je n'écris nulle part, je ne suis pas un homme public. Tout le monde se fiche pas mal de moi. Je ne suscite aucune jalousie autre que celle de concurrents directs. Je n'intéresse même pas le juge en tant que tel, sauf pour en savoir davantage. »

11 h 45, déjeuner. Toujours la même nourriture, avec ce goût légèrement métallique des fonds de faitout. Alexandre a encore réussi, à coups de morse, à se procurer diverses marchandises échangées avec des codétenus. Il montre à Frédéric ébahi comment se fabriquer un « toto », c'est-à-dire un petit chauffe-eau de fortune pour se faire du café en poudre le matin – du bricolage de précision, quoique un peu inquiétant pour l'installation électrique du bloc. Puis télé, et enfin promenade dans la « volière à faisans ».

Au bout d'une demi-heure de marche, à 14 heures, un gardien pénètre dans la cour :

– Lartel, faites votre paquetage, liberté !

– Vous vous foutez de moi ! Elle vient d'être refusée hier !

– Allez, dépêchez-vous !

Frédéric salue Alexandre qui a retrouvé son sourire goguenard.

– Je vais voir ce que c'est, il y a sûrement une erreur !

Puis, revenant sur ses pas, Frédéric embrasse son camarade.

– De toute façon, merci pour ma formation accélérée de justiciable !

Retour à la cellule, rassemblement du paquetage dans la couverture, retour dans la salle de l'arrivée, restitution du baluchon avec inventaire du contenu.

– C'est une mise en liberté signée du juge Lehachant, précise le responsable du greffe qui lui tend un papier sur lequel est marqué « ordonnance ». Vous ne serez pas resté longtemps avec nous, ajoute-t-il en lui donnant les sept billets de 100 francs demeurant sur son compte. Allez, monsieur Lartel, on voit beaucoup de choses aujourd'hui. Au revoir !

Traversée de la courette. Frédéric aperçoit les géraniums aux fenêtres de l'appartement du directeur. Après une heure trente de formalités, la petite porte du 42, rue de la Santé, à côté du grand portail, fait entendre un léger déclic. Frédéric la tire difficilement à cause de son poids peu commun. Deux efforts du bras suffisent, et c'est la rue de la Santé, avec en face le café-restaurant abandonné, à gauche une cabine téléphonique, à droite une sorte de blockhaus avec bow-window. Derrière la vitre fumée, des surveillants s'agitent autour d'un clavier de contrôle. Au bout de la rue, à gauche, deux silhouettes se rapprochent. Un peu ébloui par la lumière du jour et tout à coup surpris de ne plus avoir de plafond ou de grillage au-dessus de la tête, Frédéric respire, et retrouve l'espace d'une minute cette suave douceur de la douche au bloc A. Rouvrant les yeux et se décidant à marcher, il bute contre Fratic et Caroline qui se précipite dans ses bras.

– Qu'est-ce que c'est que cette histoire de fou ? demande-t-il à Fratic qui l'entraîne vers le boulevard Arago.

– J'étais chez Lehachant en fin de matinée pour connaître son plan de travail pour votre affaire. À 13 h 30, il a reçu un coup de téléphone qui lui a fait lever le sourcil. Il s'est retourné vers moi et m'a dit : « La chambre d'accusation vient de mettre Janchais en liberté. »

– Stanislas de Janchais ?

– Oui, il n'y en a pas d'autre ! Manifestement furieux, le juge m'a lancé : « Puisque c'est comme ça, je remets d'office votre client en liberté. Si cette affaire ne les intéresse pas, moi non plus ! » Je ne lui ai pas demandé pourquoi la cour avait choisi de le remettre en liberté et pas vous ! Tout est bon à prendre sans commentaire en certaines occasions.

– Incroyable ! Alors la chambre d'ac' me croit plus coupable que Janchais !

– Allons à mon bureau pour parler de tout cela.

Arrivée boulevard du Montparnasse, près du restaurant du Dôme, le cabinet de M^e^ Fratic : 300 m$^2$ donnant principalement sur la rue Delambre. Une dizaine de jeunes gens et jeunes femmes, avocats ou secrétaires, sourient à Frédéric dont l'affaire a manifestement préoccupé le patron pour qu'ils en soient tous au courant. Le bureau de l'avocat montre l'âge de son occupant, avec quelques photographies et des objets datés de quatre décennies différentes. Un ordinateur est greffé sur sa table, telle une prothèse un peu voyante.

– Monsieur Lartel, vous devez trouver très étrange ce monde judiciaire que vous venez de connaître brutalement en l'espace de huit jours.

– C'est un tourisme dont j'aurais pu me passer !

– Il faut avoir les nerfs solides. En quarante ans de métier, c'est la deuxième fois seulement qu'une chambre d'accusation me fait ce coup-là et qu'un juge d'instruction réagit ainsi ! Il est très difficile, même pour nous et encore plus pour vous, de comprendre toutes les subtilités du fonctionnement de la magistrature. Il est vrai que dans le dossier, vous avez continué les pratiques de Janchais. Celles en tout cas qui sont prouvées. Pour le reste, financement de partis politiques ou fausses facturations en France, comme vous l'ont dit les policiers de la brigade financière et proclamé les médias, ce sont des supputations, rien d'autre. La seule différence visible entre votre cas et celui de Janchais est l'invocation d'enrichissement personnel : rien pour lui, l'appartement pour vous. Cette histoire d'appartement, le juge s'en fiche. Elle n'était pour lui qu'un hameçon pour vous accrocher, vous déstabiliser et vous faire parler de l'affaire qui l'intéresse : Janchais et les partis politiques. La cour a confirmé l'exactitude de l'hameçon. Elle ne vous a pas mis en liberté à cause de cela, mais elle a coupé le fil de pêche en mettant en liberté Janchais. Et Lehachant s'est retrouvé par terre avec une canne à pêche soudain privée de son fil. D'où sa mauvaise humeur et son abandon d'un hameçon devenu sans intérêt. Le fil est coupé et le « gros poisson » échappé. Comme vous le voyez, ce que je vous décris n'a que peu de rapport avec la justice. Rappelez-vous ces faux feux de bûches en plastique des pavillons de banlieue anglais des années 50. La justice que vous avez dans la tête est aussi loin de la justice judiciaire que le feu de cet appareil démodé du vrai feu. J'en arrive à me demander si Shakespeare n'avait pas raison en faisant dire à son personnage dans *Hamlet* : « *For nothing is either good or bad, but think makes it so* » (Rien n'est ni bon ni mauvais, seule notre pensée le rend tel). Quand on voit la genèse d'un dossier judiciaire, on finit par devenir sceptique. Le comportement de Lehachant, cette prise d'otage, son instrumentalisation de la justice me dégoûtent, me font enrager.

– Que va-t-il se passer maintenant ?

– Il a raté son coup. Vous allez forcément avoir le fisc sur le dos. Un administrateur pour votre société ? Peut-être pas puisque vous êtes sorti. Il faut voir comment les banques réagissent. Pénalement, l'affaire risque de s'enliser. Mais vous serez sûrement jugé devant le tribunal correctionnel pour faux, usage de faux, abus de confiance. Lehachant, sa mauvaise humeur passée, va continuer sur sa piste politique. S'il échoue, Janchais restera poursuivi des mêmes infractions que vous. S'il réussit, ça peut faire encore une belle affaire.

– Je suis complètement libre ?

– Oui. Vous devez seulement demander l'autorisation du juge avant d'aller à l'étranger. Et vous abstenir de rencontrer Janchais. C'est un contrôle judiciaire minimum. Il faut maintenant vous remettre en forme. Vous en avez pour un mois. Je vous conseille d'aller voir un médecin pour qu'il vous aide à vous retaper.

– Tout s'est passé tellement vite que j'ai l'impression d'être un soldat qui a pris du plomb et ne sait pas encore s'il a perdu un membre.

– Je crois que si vous êtes blessé, votre blessure est surtout interne. Certes, vos soucis vont aussi être financiers pendant quelques années. Mais objectivement, vous pouvez vous en sortir si cet épisode ne vous a pas trop entamé intérieurement. Si vous ne vous laissez pas subvertir par la justice. Si vous ne vous sentez pas coupable. C'est la condition essentielle pour survivre. Votre situation est très différente, disons, de celle d'un avocat, par exemple. Sans aller plus loin, prenez le cas de Dhampot : il a subi objectivement un centième des dégâts qui sont les vôtres aujourd'hui. Or Lehachant, pour mettre du piquant dans une affaire qui en a perdu, peut parfaitement le coller en examen pour complicité d'abus de confiance, de faux et d'usage de faux dans la mesure où il a participé de bout en bout à l'acquisition de Préfinbat. Il peut être suspecté, malgré ses dénégations et les vôtres, d'avoir tout su de la caisse noire et de ses tenants et aboutissants. Pour lui, la catastrophe externe et interne est prévisible. L'inculpation le met en cause totalement. Il risque d'abord d'être radié si les choses tournent mal. Donc sa capacité professionnelle peut être anéantie. S'il échappe à cette issue fatale, il perd dans les faits son outil de travail. Quels clients iront désormais solliciter son cabinet pour procéder à une acquisition s'ils savent qu'il a été mis en examen en exerçant sa spécialité ? Il est lui-même ridicule à ses propres yeux. L'avocat inculpé, c'est l'arroseur arrosé, un homme payé pour faire respecter la loi aux autres et qui non seulement met les autres dans le pétrin mais s'y met lui-même. Si, de plus, Lehachant s'amuse à le placer en détention, lui qui a vocation à aider les gens à sortir de derrière les barreaux, vous voyez l'explosion nucléaire que cela provoquerait. Il en va de même pour tous ceux qui sont praticiens du droit, professeurs ou même juges. Ou bien encore pour ceux dont l'activité professionnelle entraîne des positions publiques. Pour eux, la mise en examen est totalement catastrophique, une destruction symbolique. Généralement, les victimes de cette mise au pilori ne s'en sortent pas. Il ne leur reste qu'à émigrer s'ils ne veulent pas perdre la tête à tous égards. Encore que... L'inflation pénale est telle que le public peut aussi se lasser. Si la blessure n'est pas interne, les justiciables arrivent parfois à la surmonter, même ceux qui sont placés devant les plus grandes catastrophes judiciaires. L'essentiel reste de ne pas se sentir coupable.

– Pour moi, réplique Frédéric, je me sens coupable d'avoir emprunté 1 million de francs à la caisse noire.

– C'était une erreur. Voyez-le comme tel.

– Oui, mais vous me dites aussi que c'est une infraction qui a peut-être motivé la décision de la chambre d'accusation.

– On y est ! Maintenant, répondez à ma question : trouvez-vous normal que cette erreur, cette infraction vous ait conduit en prison pendant huit jours, ait provoqué un traumatisme dans votre famille et tout particulièrement chez vos enfants ? Croyez-vous que la société a respecté ses propres valeurs en vous faisant subir cette ordalie ? Comment la justice se permet-elle de vous donner une leçon d'honnêteté alors qu'elle-même a commis une erreur beaucoup plus grande, une infraction infiniment plus grave que celle qu'elle vous reproche ? Renvoyez-la dans son palais. Ne la laissez sous aucun prétexte vous soumettre. Résistez.

– Vous rendez-vous compte de la révolution que vous prêchez, maître Fratic ? Me demander de mettre au panier tout ce que j'ai appris depuis l'âge de six ans. Comment vivre avec cette idée que la justice n'existe pas ?

– Je ne dis pas cela. Elle existe bien. La preuve, vous l'avez rencontrée.

– Ne jouez pas sur les mots. Je parle de la Justice avec un grand J.

– Gardez la majuscule dans votre cœur.

– Mais enfin, maître Fratic, quand j'élève mes enfants, quand je leur inculque la différence entre le bien et le mal, je suis le porte-parole de cette Justice majuscule. Et tout à coup, à 48 ans, vous me dites : « Mon pauvre vieux, habituez-vous, tout cela n'est qu'un leurre ! » C'est comme si, tout à coup, vous me disiez que mon codétenu escroc et voleur valait autant que moi. Tout cela n'est qu'une question d'appréciation. D'ailleurs, vous me tenez presque le même langage que l'escroc en question !

– Monsieur Lartel, calmez-vous. La justice est comme la lune dont vous n'apercevez qu'une face. Hélas, elle n'est guère attrayante. Mais de l'autre côté, sur la face cachée, nous pouvons imaginer le meilleur. Il faut vivre avec cette contradiction. Votre mésaventure d'aujourd'hui ne diminue en rien la valeur de l'éducation que vous avez reçue et que vous donnez à vos enfants en fonction de cette idée de la justice que vous portez en vous. En sortant de cet épisode, vous serez devenu plus fort, plus indépendant et plus sage. Dites-vous qu'une nouvelle vie commence...

# II

# Un divorce

Depuis 4 heures du matin, Françoise garde les yeux ouverts, à côté de Pierre, son mari, dont la respiration régulière manifeste un sommeil paisible. À 35 ans, mariée depuis dix ans, Françoise vient de se « reprendre ». Dans sa tête tourne sans cesse cette phrase de Hegel retenue d'un cours de philo : « Les mutations quantitatives progressives aboutissent à des mutations qualitatives brutales. » Depuis quelques années, mille petites choses se sont empilées, pesant de plus en lourd sur l'histoire de son mariage. Un roman devenu sans intérêt. En se remémorant les années passées, elle voit sa vie comme un lac lentement vidé laissant apparaître un fond d'argile craquelé. Pierre lui reproche sans cesse de ne pas savoir « mettre les choses en perspective ». C'est vrai, la vie ne s'est pas déroulée de la même façon pour chacun d'eux.

Pierre, 40 ans, cadre technico-commercial chez Thomson, n'a pas perçu ce glissement, cet épuisement conjugal. La vie pour lui est faite de morceaux plus ou moins satisfaisants. Ce qui l'a séduit chez Françoise à 25 ans, c'est une voix, une forme de sourire très particulier qu'il désire revoir tous les jours, très simplement une femme avec laquelle il aime faire l'amour et dont il a voulu avoir des enfants. Bien sûr, il y avait d'autres femmes parfois, mais sans que ces épisodes viennent remettre en cause un ordonnancement tranquille. Et puis, pas question de se mettre dans des embarras d'emploi du temps avec une maîtresse plus régulière. Pour Pierre, la vie est une promenade, une cueillette d'événements d'agrément variable : une soirée avec de vieux amis, un bon repas, une promenade à vélo avec les enfants, âgés de 7 et 9 ans, le jogging avec des camarades de bureau. Même rythme dans son travail, ponctué par les moments forts des négociations avec des partenaires souvent étrangers. En somme, Pierre n'est pas vraiment un homme ennuyeux, tout en étant l'inverse d'un aventurier.

Françoise dépérit cependant auprès de lui sans qu'il s'en aperçoive, sauf après quelques scènes de ménage qu'elle lui fait pour des manies qui l'agacent, des choses futiles (sa façon d'agiter ses couverts, son humour de potache parfois, ses invitations à dîner totalement impromptues, par exemple) dans une vie bien réglée qui rendent plus étouffant le déroulement de ce lien conjugal tout au long de ces dernières années. C'est pourtant ce qui l'a séduite chez lui dix ans plus tôt, ce mélange de tempérament raisonnable et de petites touches de déraisonnable. Mais pour elle, les moments les plus forts de ces années ont été ses deux maternités. Elle se serait bien vue nourrice, saisie par des grappes d'enfants, comme les grandes femmes africaines de son quartier, tout proche de Vincennes, sortes de montagnes multicolores, qui la fascinent. Elle garde de ses accouchements le souvenir d'un profond sentiment de plénitude, d'une assurance jamais retrouvée d'être totalement et parfaitement à sa place dans l'univers. L'impression que « c'est là que ça se passe » s'était alors imposée à elle.

Delphine, l'aînée, et Jean, arrivé deux ans après, ne lui ont procuré que des satisfactions et aucun problème, sans cependant jamais combler ce désir. Car deux enfants oui, mais trois ou quatre auraient posé des problèmes. Financiers, d'abord. Et puis, elle a craint qu'une troisième grossesse ne laisse des traces. Car elle se trouve jolie, elle aime son corps, le montrer, bouger, danser. Un vraie griserie, mais trop éphémère. Cela fait quatre ans qu'elle travaille à deux tiers de temps pour un magasin de luxe où elle éprouve souvent un certain plaisir, celui de jouer une comédie avec des clientes fortunées comme dans ses jeux lorsqu'elle était petite fille. Mais lorsqu'elle jette un regard sur le reste de sa journée, lorsqu'elle se voit successivement transporteur d'enfants, cuisinière, femme de chambre, maman, objet de convoitise sexuelle, « ça ne se passe plus ».

Et puis, un matin, le déclic, sous la forme des sirènes d'une voiture de pompiers qui ce jour-là l'ont non seulement réveillée mais bouleversée. Il se « passait » quelque chose, quelque part, justifiant cette agitation, ce bruit, cette solidarité. Elle a été envahie alors par l'impression très forte, déjà rencontrée à quelques reprises, notamment encore enfant, en 68, qu'elle « n'en était pas ». L'évidence s'est imposée qu'elle ne pouvait plus, et ne voulait plus rester là à regarder la vie. À 35 ans, elle se rend soudain compte que ce qui lui faisait peur à 20 ans est confusément ce qu'elle a toujours désiré, et que ce qui la rassurait alors l'inquiète désormais. Elle a été raisonnable en épousant Pierre, elle se rend compte qu'elle ne l'aime plus, et la question n'est pas de prendre un amant.

A 7 heures du matin, elle vient de terminer le récit de sa vie. Sa résolution est prise.

Que faire de suffisamment décisif pour changer de vie ? Elle riait jadis de l'histoire de cette femme qui avait glissé dans la partition de son mari chef d'orchestre, un soir de première, ce petit mot qu'il découvrit en attaquant l'ouverture de *Rigoletto* : « Je demande le divorce. » Ce matin-là, l'épisode la fait moins rire. Comment éviter les discussions sans fin, les explications vaines, les conciliabules avec la famille, les amis proches jouant les ambassadeurs, les réparateurs de ménage en tout genre ? Comment se jeter à l'eau sans se faire phagocyter par les mille difficultés de la séparation, seule issue possible à ses yeux ? L'argent, les enfants, l'appartement, trop de problèmes à regarder d'un seul coup pour lesquels il va falloir négocier, affronter, éventuellement perdre. Surtout, ne pas renoncer. Voilà que soudain, avec le souvenir qui réapparaît d'un jeune garçon aimé à 18 ans, elle se sent vivre à nouveau.

Pierre pénètre à son tour dans la salle de bains. Elle le regarde posément, doucement, et lui annonce :

– Je veux divorcer.

– Ah bon ! est la première réponse de Pierre, habitué à « encaisser » les événements. Puis il ajoute : Qu'est-ce qui se passe ? « Justement, plus rien », se dit-elle, répondant seulement :

– J'ai beaucoup réfléchi. Je veux changer de vie, je veux divorcer.

Pierre répète :

– Mais qu'est-ce qui s'est passé ?

– Nous n'avions pas grand-chose à nous dire, mais maintenant la vérité est que nous n'avons plus rien à nous dire. Il faut divorcer.

– Peut-on parler davantage ?

– Sur les modalités, oui, sur le principe non, répond sèchement Françoise.

Pierre ne parvient pas à réagir. Avec sa femme comme avec les autres, il s'efforce toujours de commencer par fixer ce qui lui tombe dessus pour ensuite le soupeser, le regarder, y réfléchir. Il a souvent réfléchi aux séparations et aux divorces autour de lui. Avec son sens habituel de l'image à la limite du mauvais goût, il se remémore sa phrase favorite à ce sujet : « Les séparations c'est comme le gibier, quand ça se consomme trop tôt, c'est trop dur, et trop tard, c'est pourri. » Quelle valeur attribuer à ce qui n'est peut-être qu'une foucade provoquée par l'insomnie ? Plus inquiétant, aucun événement récent ne peut fournir une explication raisonnable à ce petit cataclysme. Arrivé au bureau, l'inquiétude grandit. Habitué à répondre par la logique aux situations nouvelles et ses fonctions de technico-commercial le mettant en rapport fréquent avec des avocats, Pierre prend aussitôt contact avec l'un de ceux de la maison pour essayer de le voir à l'heure du déjeuner. L'avocat ayant une affaire à plaider à 13 h 30, devant la troisième chambre du tribunal, il lui donne rendez-vous à 13 heures dans la salle des Pas perdus, devant la statue de Berryer, avocat du maréchal Ney, point de repère essentiel du Palais de justice de Paris. Avocat d'affaires, se préparant à plaider un dossier de marques devant la juridiction parisienne spécialisée, Me Dupond est assez déçu de constater que Pierre n'a qu'un dossier de divorce à lui proposer alors qu'il pensait à un de ces beaux contentieux économiques juteux dont il raffole et qui nourrissent son cabinet. Non, il ne prendra pas cette affaire personnelle, non il ne « fait » pas de divorces :

– Vous comprenez, dit-il à Pierre, toutes ces dépressions, toutes ces passions, je n'ai pas le temps de m'en occuper, ça me fatigue. De surcroît, ce n'est pas rentable. Le temps qu'il faudrait y passer pour être sérieux coûterait trop cher au client.

Un peu humilié de voir que sa détresse du jour est observée par ce professionnel à peu près comme un arrivage de marée avariée, Pierre maudit sa journée.

– Mais alors que faire ? demande-t-il à l'avocat pressé de monter l'escalier pour rejoindre l'étage de la troisième chambre.

– Je vais vous donner un bon conseil, répond gentiment M$^{e}$ Dupond, comprenant qu'il n'a pas été très aimable. Faites d'abord un diagnostic. Allez voir M$^{e}$ Charrier-Deplet de ma part. C'est un vrai spécialiste du droit de la famille. Il va vous permettre de vous repérer, de faire le point. S'il est trop cher pour vous, il vous indiquera quelqu'un qui vous conviendra. Mais pour le diagnostic sur ce qui vous arrive, frappez au sommet, en tout cas à l'un des sommets. Payer la consultation, ce n'est pas cher par rapport à ce que vous en retirerez. Méfiez-vous de ces faux spécialistes du divorce, de ces dames qui travaillent à mi-temps et se disent versées dans le droit de la famille parce qu'elles n'ont pas d'affaires, ou de ces mondains prétendant tout faire et qui vivent en réalité très mal en grappillant tout ce qui passe à portée de leur main. Surtout, n'exigez pas de moi, par exemple, que je m'occupe de vous sous prétexte que l'on se connaît et que la démarche est plus facile : on ne peut pas faire un divorce tous les cinq ans, ce n'est pas sérieux. Le conseil que je vous donne est le bon, c'est le fruit de vingt ans d'expérience. Bon courage ! Et surveillez le nom de l'avocate de votre femme, parce que ce sera peut-être une avocate, selon que j'imagine les choses. Renseignez-vous : il y a des furies chez nous dont il faut se méfier. Vous savez, des gens qui ne peuvent pas supporter de voir un dossier s'arranger. J'en connais même qui ont pour théorie que la seule défense possible des femmes qui divorcent est la guerre. On en reparle. Mais allez voir Charrier-Deplet.

13 h 25. Ce n'est pas vraiment l'appétit qui tenaille Pierre. Mais en sortant par le grand escalier intérieur formant un angle droit avec la salle des Pas perdus dans la cour, il aperçoit la buvette du Palais. Des dizaines d'avocats, hommes et femmes, y expédient leur déjeuner. Pierre se laisse tomber sur une banquette et s'absorbe dans la lecture de la carte sans la lire. Non seulement il est congédié de la vie de Françoise comme un chien qu'on met à la porte, mais en plus il va falloir toucher à cette contraignante justice qu'il n'a observée jusqu'à maintenant que de loin, par le biais de l'avocat d'affaires de son entreprise.

De retour au bureau, Pierre ressent un très curieux phénomène : comme si sa peau se décollait de lui. Il fait parfois un cauchemar similaire, où il se retrouve seul, dans une immensité informe, après que les murs d'une pièce se sont évanouis. Son médecin traitant lui a expliqué qu'il avait sans doute des tendances agoraphobes et lui a prescrit un tranquillisant léger à base de benzodiazépine qu'il n'a d'ailleurs jamais pris, la simple vision du tube sur sa table de nuit étant suffisante pour se rendormir. Et là, maintenant, juste en pénétrant dans son petit bureau, c'est le même cauchemar, très fugitif. Pierre, esprit logique et lucide, perçoit bien le rapport entre le « congé » que lui a donné Françoise à 7 heures du matin et ce fantasme d'un instant : sa femme est comme une partie de lui qui va se détacher, s'arracher. D'une enfance heureuse de fils unique ne manquant de rien auprès de ses parents, petits fonctionnaires à la direction départementale de l'équipement des Hauts-de-Seine, confits dans le respect pour leur administration et pour le ministre, il a gardé un naturel heureux, prenant la vie comme elle vient. Après trois ans d'école de commerce, et cinq ans dans diverses « boîtes », Pierre a trouvé avec Françoise la base qu'il cherchait. Qu'est-ce qui l'a attiré derrière cet étrange sourire qui lui procure un tel bien-être ? Il est incapable de le dire. Mais ils se sont mariés, choisissant ce rite familier contrairement à la mode du moment, pour partir à la découverte du monde. La naissance des enfants a encore consolidé ce sentiment de sécurité. Et aujourd'hui, tout ce que Pierre voit, c'est que sa base est fichue. A l'inverse de Françoise qui évoquait pour elle-même, ce matin-là, les mille et une difficultés du divorce à venir, Pierre ne voit pour l'instant qu'un simple retour à la case départ, il y a dix ans, avant d'épouser sa femme. L'angoisse du moment le motive pour agir. À 15 heures, il prend rendez-vous pour la semaine suivante avec Me Charrier-Deplet, recommandé par Me Dupond.

De retour chez lui, il trouve Françoise précise et nette à son habitude, les enfants faisant leurs devoirs et l'appartement comme toujours impeccable. En dix ans Françoise et Pierre se sont rarement disputés, et ni l'un ni l'autre ne pensent qu'il faut commencer. Ils se regardent comme s'ils hésitaient à parler à un grand malade. Pierre, ennuyé, voudrait bien dire à Françoise qu'il a déjà vu un avocat. Il l'emmènerait bien voir Charrier-Deplet, ne serait-ce que pour discuter de ce qu'il faut faire au cas où ils décideraient de divorcer. Impossible cependant, et d'ailleurs Françoise le lui confirme : il n'existe pas d'« au cas où », pas d'alternative. Donc l'idée même de faire une démarche exploratoire commune est absurde. Et puis, tout à coup, le fait d'aller voir un spécialiste ensemble comme s'ils avaient attrapé la même maladie paraît à Pierre à la fois artificiel et haïssable.

« Non seulement je perds ma femme, se dit Pierre, mais en plus je me retrouve dans la position d'un malade contaminé, enchaîné à son conjoint par le mal conjugal. » Ce double changement de statut n'est pas acceptable. Non, il faut d'abord aller voir Charrier-Deplet pour connaître son diagnostic, comme disait Dupond, et ensuite aviser. Cela donnera peut-être à Françoise le temps de changer d'avis. De son côté, Françoise réagit curieusement à la situation qu'elle vient de créer. Nulle idée de voir un avocat n'a germé dans son esprit. Pour elle, le fait d'avoir décidé de changer de vie et de se l'être dit devant la glace suffit pour l'instant. Pierre doit, comme pour beaucoup d'autres problèmes, prendre en charge la gestion de la décision. Elle en discutera avec lui ensuite. Voilà tout. Elle est prête à donner du temps à Pierre pour se retourner, réfléchir et lui proposer des solutions.

– Que veux-tu faire avec les enfants ? demande cependant Pierre.

– Rien pour le moment, répond Françoise. Attendons d'avoir un plan précis pour leur expliquer.

Pierre reçoit cette phrase avec un léger espoir. Peut-être reviendra-t-elle en arrière. Il est encore accroché au sourire de Françoise qui lui fait toujours beaucoup de bien malgré les années passées. Il ne voit aucun intérêt à un changement si fort dans sa vie. Sans même penser aux bouleversements à venir sur le plan matériel, cette perspective de transformation soudaine de sa vie lui est difficile à supporter. Il éprouve une incisive humiliation à se sentir pour la première fois complètement dépassé par cette femme qui est parvenue à une décision mûrie certainement depuis longtemps, même si la précipitation au sens chimique du terme s'est effectuée instantanément. Et puis cette coupure d'avec le corps de Françoise qu'il faut maintenant accepter commence à le ronger. Ce corps qu'il finira par ne plus voir s'est « repris », restituant à Pierre dans une sorte de film accéléré tous les moments forts qu'il a connus avec elle. Ce n'est pas un sentiment de propriétaire frustré, non plus que la répétition d'une souffrance d'abandon que Pierre n'a jamais connue. Mais en lui laissant comprendre qu'elle n'éprouve plus de désir pour lui, c'est comme si elle le faisait disparaître. L'idée qu'elle en préférait un autre lui aurait été plus compréhensible et l'aurait moins anéanti que de ressentir sa « disparition » physique sans cause.

Comme dans les mauvais films, le soir Pierre va s'installer sur le canapé du séjour où il a beaucoup de mal à trouver le sommeil. Quant à Françoise, elle redécouvre le confort d'un sommeil solitaire, d'autant plus rapidement atteint qu'elle éprouve le sentiment d'avoir décidé et agi seule, même si tout reste encore à faire.

Après une semaine difficile, Pierre se présente au rendez-vous fixé par l'avocat. Cette démarche vers le premier relais de l'institution judiciaire l'impressionne un peu. Le cabinet de Me Charrier-Deplet est plutôt rassurant et le personnage lui-même, la soixantaine, derrière un bureau encombré de codes et de livres, a un air apaisant.

– C'est Me Dupond qui m'a adressé à vous.

– Je ne le connais pas, répond l'avocat, mais ce n'est pas important. Mes confrères savent que je traite beaucoup du droit de la famille. Que puis-je faire pour vous ?

Et Pierre de raconter cette cassure imprévisible dans sa vie conjugale, terminant par un « Qu'en pensez-vous ? » qui signifie d'abord : « Est-ce que mon mariage est fichu ? »

– Pardon de vous dire que votre cas est banal, commence l'avocat, bien que pour vous il soit douloureux et singulier. 30 % des Français divorcent, et presque un ménage sur deux à Paris. Deux fois sur trois ce sont les femmes qui demandent le divorce. Au bout de dix ans, les risques de divorcer sont les plus grands. La réaction que vous avez est normale, et l'initiative de votre épouse tout à fait classique. Vous vous demandez sans doute si elle est irrévocable. Tel que vous me faites le récit des événements, la réponse est probablement oui. Il est très rare qu'une femme qui se « reprend » change d'avis. Elle a dû vous envoyer des signaux que vous n'avez pas vus. Parfois, c'est un coup de cœur pour un homme qui devient ou ne devient pas l'amant d'un soir. Parfois ce sont des scènes de ménage où la colère permet de dire ce que l'on n'arrête pas de refouler dans la vie quotidienne. Les Chinois ont une très belle formule à propos du mariage : « Chez nous, disent-ils, quand nous nous marions, la marmite est froide, mais nous mettons vite des fagots enflammés dessous, nous entretenons soigneusement le feu, et la marmite reste chaude. Chez vous, en Occident, la marmite est bouillante au moment des noces, mais vous oubliez de mettre des brindilles dessous, le feu s'éteint et la marmite devient froide. » Vous avez peut-être oublié d'entretenir l'intérêt de votre ménage. Le problème est que si le feu est éteint – ce que votre femme vous a dit –, l'histoire pour elle est terminée. Tout ce que vous pourrez faire ne sera que le commentaire de la fin, ou, dans un cas très exceptionnel, l'inscription d'un post-scriptum. Peut-être avez-vous mal compris comment réagissent la plupart des femmes. Vous croyez que le désir féminin est identique au désir masculin. Or il est beaucoup plus construit. Si l'un des maillons de la construction est défaillant, tout part en morceaux. Tout s'effondre, et nous ne comprenons rien. Peut-être s'est-elle aperçue au bout de dix ans de mariage que l'histoire vécue avec vous n'était pas la bonne, ou n'était plus à 35 ans celle qu'elle croyait vouloir à 25. Avez-vous quelqu'un d'autre dans votre vie ?

– J'ai eu des rencontres de passage, c'est vrai. De temps à autre, à l'occasion d'un déplacement à l'étranger pour mon travail, j'ai eu quelques aventures d'un soir. Mais je n'ai jamais voulu entretenir de liaison durable. Et ma femme n'a jamais rien su de mes infidélités. Que va-t-il se passer maintenant ? demande-t-il.

– Ou bien vous prenez l'initiative, et si vous restez en bons termes avec votre femme, vous lui proposez de venir à mon cabinet en lui indiquant que je vais voir si je peux vous divorcer par consentement mutuel. Ou bien vous ne faites rien, et c'est elle qui prendra les choses en main en contactant l'un de mes confrères qui vous écrira pour vous demander le nom de votre avocat afin d'entrer en rapport avec lui.

– Que me conseillez-vous de faire ?

– Le mieux est sans doute, si c'est possible, que vous veniez me voir avec votre femme après lui avoir dit que cette démarche n'est pas obligatoire. Cela lui montrera que vous mettez en œuvre ce qu'elle veut. De ce fait, vous pourrez tenter de trouver un accord dans de meilleures conditions grâce à un meilleur climat.

– Et quelles sont vos conditions financières ?

– Mes honoraires sont facturés au temps passé. Je facture 2 000 francs plus les frais par heure de travail, et selon la situation financière du client, je peux diminuer de 20 %.

– Qu'est-ce que cela peut faire en tout ?

– Si vous vous mettez d'accord assez facilement, cela vous coûtera environ 25 000 francs à 30 000 francs hors taxes. Mais ce n'est pas cela qui vous coûtera cher dans votre divorce.

– Que voulez-vous dire ?

– Combien gagnez-vous par mois ?

– 28 000 francs.

– Et votre femme ?

– Une dizaine de milliers de francs.

– Soit un total d'environ 38 000 francs par mois. Combien payez-vous de traites pour votre appartement ?

– 10 000 francs par mois sur vingt ans. Il reste dix annuités à payer.

– Divorcer signifie se séparer et mettre fin non seulement à une relation affective mais aussi à une organisation matérielle. Réfléchissez-y. Pensez aussi au sort des enfants. Chez qui vont-ils résider ? Quelle pension pour eux s'ils vivent avec leur mère ? Quelle pension pour la mère pendant le divorce, et quelle prestation compensatoire pour elle après le divorce ?

– Qu'est-ce que la prestation compensatoire ?

– C'est une somme d'argent prévue par la loi pour que la situation économique de la femme qui divorce ne soit pas trop déséquilibrée par rapport à celle du mari.

– Vous voulez dire qu'à cause d'une décision soudaine de ma femme, je vais perdre mes gosses, mon appartement, et une grande partie de mes économies et de mes revenus ?

– C'est exactement cela, répond l'avocat. Ce sont les inconvénients du divorce, donc du mariage. Mais sachez que ceux qui se séparent sans être mariés ont aussi des problèmes qui ne se règlent pas beaucoup plus facilement.

– Et si je refuse de divorcer ?

– Votre femme entamera un divorce pour faute.

– C'est-à-dire ?

– Elle vous fera un procès pour juger que vous avez commis dans votre vie conjugale des fautes qui rendent intolérable le maintien du lien conjugal.

– Il faudra qu'elle le prouve.

– Certes, dit l'avocat, et ce ne sera pas le moment le plus agréable pour vous. Chaque époux se transforme en une sorte de détective pour démontrer les torts de l'un ou se défendre contre les accusations de l'autre. Si vous pouvez l'éviter, cela vaudra mieux.

– Mais concrètement, quelles sont les fautes que la loi prévoit ?

– L'adultère, naturellement, les excès, sévices et injures graves. L'adultère, vous l'avez commis, mais votre femme, d'après vous, n'en a pas la preuve. Les sévices, inutile de vous les détailler, ce sont les violences physiques. Les excès constituent des comportements qui, comme leur nom l'indique, sont hors norme, tel l'alcoolisme. Le principal grief reste l'injure grave qui ne concerne pas seulement l'injure au sens strict du terme, mais tout comportement agressif qui peut être considéré par les juges comme intolérable. Si vous ne tombez pas d'accord avec votre femme pour divorcer dans des conditions mutuellement acceptables, vous devrez vous défendre de l'imputation d'injure grave envers votre épouse. Mais il est prématuré d'y penser. Amenez-moi votre femme en lui disant que vous m'avez rencontré afin d'explorer les possibilités d'un divorce par consentement mutuel. Réfléchissez déjà à l'avenir, comment « faire deux avec un » : le divorce est un découpage. C'est son côté atroce, sauf lorsque tout se détache facilement selon des pointillés déjà là et qu'il suffit à l'avocat de repérer. Apparemment, dans tout ce que vous me dites, ce travail n'est pas fait. D'un côté, votre épouse a décidé de changer de vie, mais n'a rien envisagé de pratique. De votre point de vue, vous ne voyez pas pourquoi démolir votre vie actuelle sous le seul prétexte que c'est la volonté de votre femme. Je préfère presque pour ma part, termine l'avocat, des situations plus tendues dans lesquelles l'évidence de la séparation s'impose. Si déchirement il y a, le découpage est plus facile.

Pierre ressort très perplexe. Il a encaissé cette difficulté quasi professionnellement dans un premier temps. Mais la voilà qui déborde de ce cadre de travail en lui donnant le sentiment de ne plus avoir prise sur le monde comme il en a l'habitude. Il n'a pas vraiment éprouvé de différences sérieuses entre la période d'avant son mariage et celle d'après, puisqu'il fréquentait Françoise de la même manière. Seulement, au seuil du divorce, il s'aperçoit de l'existence de la loi rappelée par l'avocat, et donc du poids de la société sur sa vie à lui. Sa vie, jusque-là, c'étaient des rapports de confiance avec l'entreprise qui l'emploie, des relations de plaisir et de tendresse avec sa femme, et puis des enfants qui lui procurent l'apaisement de la descendance. À part cela, le monde extérieur n'existe que par le biais de la télévision, du cinéma et des commerces destinés à satisfaire ses besoins. Pierre n'a jamais compris l'intérêt d'aller voter, sauf pour les élections municipales qui peuvent déterminer son cadre de vie. Il ne s'occupe que de la gestion de ses désirs, de ses appétits, de son équilibre économique et psychologique. Que peut donc vouloir d'autre Françoise ? Il lui assure tout ce qu'elle peut désirer. Il lui poserait bien la question du « pourquoi ? », mais hésite à le faire comme s'il ne fallait pas toucher à ce sujet et qu'il craignait une réponse venant bouleverser sa vie. D'un autre côté, il ne voit rien à débattre. Reste donc uniquement l'inventaire de leur vie d'homme et de femme mariés, des problèmes spécifiques causés par le divorce. Françoise, de son côté, aurait beaucoup de mal à formuler les causes de sa décision. Rien de sa vie ne peut être isolé pour être critiqué. Simplement, cette vie commune avec Pierre n'a plus de sens. Elle ne peut quand même pas lui dire comment s'est produit le déclic. Elle n'a plus envie de lui. Elle accomplit tous les actes quotidiens avec méthode mais sans en ressentir la saveur. Se lever, conduire les enfants à l'école, aller à la boutique, récupérer les enfants, faire les courses, faire le dîner des enfants, dîner avec Pierre, regarder la télévision, se coucher à 23 heures : ce réglage paisible lui procurait une joie comparable à celle de la navigation sur un voilier par temps clair et petit vent. Mais la mer s'est transformée en étang, puis en mare desséchée.

Le soir de son rendez-vous chez l'avocat, Pierre attend la fin du repas et le coucher des enfants pour parler à Françoise.

– Je n'ai pas voulu te contredire la semaine dernière quand tu m'as annoncé ta volonté de divorcer. Tu me connais : quand le ciel me tombe sur la tête, j'ai tendance à ne pas broncher dans un premier temps afin de supporter le choc, ensuite je fais l'inventaire. Qu'est-ce qui se passe, Françoise ?

Inconsciemment, il revient toujours à ce mot.

– Je te l'ai dit, répond Françoise, il nous faut divorcer.

– Ça j'ai compris, mais pourquoi ?

– Parce que j'ai 35 ans, deux enfants, et que je ne me vois pas continuer à vivre sans en avoir le goût.

– Mais qu'est-ce que j'ai fait ou n'ai pas fait qui te donne cette lassitude ?

– Si je le savais, Pierre, je te l'aurais dit et je pense

que nous n'en serions pas là. Mais je ne suis capable ni d'inventer des raisons vraisemblables ni de décrire comment j'en suis arrivée là. C'est comme cela.

– Tu veux dire que tu n'as aucun motif à me donner.

– Aucun.

– Et sans motif, tu es prête à fiche en l'air dix ans de vie commune ?

– Oui.

– Ce n'est pas raisonnable.

– Si, au contraire, c'est la décision la plus raisonnable que j'aie prise depuis longtemps. Aussi raisonnable que de respirer, même si on ne comprend pas pourquoi.

Pierre ne saisit pas les explications de Françoise qui, de son côté, ne souhaite pas aggraver les choses en les rendant platement intelligibles. Ainsi, elle pourrait lui dire : « Tu m'ennuies », mais elle se retient.

Pierre se trouve donc confronté à une décision de sa femme, abrupte, inexplicable à ses yeux, et qui va bouleverser l'organisation de sa vie. Le mot d'injustice lui vient pour la première fois à l'esprit, associé de manière vénéneuse avec la première vision qu'il a eue du monde judiciaire en rencontrant M^e^ Dupond au Palais. Pierre éprouve soudain une certitude très désagréable, celle qu'un viol est sur le point de se commettre sur sa personne sans qu'il parvienne bien à percevoir comment il va se produire. « Me voici, pense-t-il, confronté malgré moi à une double agression, celle que me fait ma femme et celle que je pressens avec les gens qui vont intervenir dans ma vie. » L'évocation de M^e^ Charrier-Deplet derrière son bureau vient tempérer légèrement cette vision effrayante, quoique le visage affable de l'avocat ne soit pas celui du sauveteur qu'il aurait espéré, mais bien davantage celui d'un passeur débonnaire ouvrant la porte d'une sorte d'enfer. Auparavant, il n'a eu affaire à la justice qu'à la suite d'un excès de vitesse qui l'a conduit devant le tribunal de police. Le juge s'apparentait alors dans son esprit à une super contractuelle. Sa vie privée n'était pas concernée. Il va en être tout autrement désormais. La seule option viable est de voir directement l'avocat avec sa femme pour éviter que celle-ci ne finisse par aller trouver une « guerrière ». Françoise n'est pas mécontente que Pierre ait consulté un avocat : le processus qu'elle a voulu s'enclenche, avec cette facilité supplémentaire que son mari accepte d'être l'instrument de sa volonté.

Huit jours plus tard, ils se retrouvent tous les deux dans le cabinet du spécialiste du droit de la famille qui s'enquiert de leurs projets et précise que, s'ils sont d'accord sur le principe et les modalités de leur séparation, la procédure ira assez vite.

– Combien de temps ? demande Françoise.

– Un mois et demi pour préparer les actes et obtenir une audience devant le juge de la famille qui fixe des mesures provisoires. Ensuite trois mois de réflexion sont obligatoires en application de la loi. Enfin, un mois après ce délai, le juge homologue ce que l'on appelle la convention définitive. En gros, c'est une affaire de six à huit mois, à partir du moment où vous êtes décidés. Qu'avez-vous résolu ?

Me Charrier-Deplet, tel un chirurgien qui commence à « ouvrir » son patient, sait très bien que de cette réponse vont dépendre plusieurs années de leur vie. Pierre et Françoise se sont abstenus de toute discussion sur ce sujet dans le but inavoué, mais réel, de parvenir à cet instant dans les moins mauvaises conditions, afin qu'un conflit ne soit pas créé par une « mauvaise approche ». Ils sont comme deux pilotes, dont l'appareil, après dix années de vol, va simplement se poser ou se crasher.

Pour Pierre, la situation est claire. Pas question de tout perdre, les enfants, la maison, l'argent, sa femme. Pour Françoise, rien n'est structuré. Son unique certitude : elle doit changer de vie. Constat plus important que tout, y compris son attachement pour les enfants. Fugitivement, pendant la journée, elle qui a arrêté ses études après le bac se rêve étudiante à l'université, qu'elle se figure encore pleine des échos de 1968. Aujourd'hui, pour un coup de foudre, elle pourrait tout quitter d'un seul coup. Elle a besoin d'activités, d'émotions, d'intensité pour se sentir vivre et retrouver ses enfants, cette fois-ci dans une relation de mère non polluée par cette construction conjugale qui ressemble à un faux nid d'oiseau en porcelaine.

– Je souhaite la garde des enfants, dit-elle à l'avocat.

Elle aurait voulu pouvoir exprimer autre chose, mais tout ce qui lui reste de ce que ses parents, ses amis, la télévision et les articles de magazines féminins lui ont inculqué pour de pareilles circonstances se traduit par cette simple phrase.

– L'autorité parentale, corrige l'avocat.

Pierre n'est pas surpris. La catastrophe arrive inexorablement. Ses relations avec les deux enfants ont toujours été paisibles. Rien d'exagérément personnel ni d'envahissant. Rien qui le conduise à prendre des positions militantes teintées de « revendications antiféministes » en affichant une volonté de jouer les papas-poules. Mais dans ce naufrage, la seule bouée qu'il peut distinguer autour de lui, ce sont les enfants. D'autant plus que Pierre devine ce qui va suivre.

– Et comment voyez-vous l'avenir ? demande l'avocat à Françoise.

– De quel point de vue ? répond-elle.

– Du point de vue matériel.

– Le mieux serait que je garde l'appartement.

– Et comment vivrez vous ?

– Je gagne 10 000 francs par mois, ce n'est pas suffisant.

– Combien vous faudrait-il ?

– Je pense qu'avec l'appartement et 10 000 francs en plus, je peux y arriver.

– Sous quel régime êtes-vous mariés ?

– On n'a pas fait de contrat, je ne sais pas.

– C'est le régime de la communauté réduite aux acquêts, déduit l'avocat. Tout ce que vous avez acquis après le mariage vous appartient par moitié.

– Donc la moitié de l'appartement, fait remarquer Pierre.

– Exactement. Combien vaut-il ?

– Environ 1,7 million aujourd'hui, répond Pierre, et il reste 1 million de capital et d'intérêts à payer pendant encore dix ans.

– De toute façon, mieux vaudrait le vendre, dit l'avocat car, quelle que soit la solution que vous prendrez à l'égard des enfants, vous aurez besoin de deux logements au lieu d'un et vous ne pourrez pas à la fois payer les traites à venir et ne pas habiter tous les deux dedans. Il faut encore évoquer la prestation compensatoire.

Pierre voit se vérifier le pire : catastrophe affective, catastrophe financière. Pour bloquer le processus et parce qu'il ne trouve rien d'autre à dire, Pierre demande les enfants. L'avocat interroge Françoise qui maintient ses positions. Me Charrier-Deplet explique alors que s'ils ne sont pas d'accord, il ne peut pas les divorcer. Ils ont besoin de deux avocats pour entreprendre un divorce pour faute, à moins qu'ils n'optent pour le choix d'un divorce sur demande de l'un des conjoints acceptée par l'autre. Dans ce dernier cas de figure, s'ils sont d'accord sur le principe du divorce, le tribunal tranchera pour le reste.

– Naturellement, maintenant que je vous ai reçus tous les deux, mes règles professionnelles m'interdisent de vous conseiller l'un contre l'autre. Puis-je vous donner cependant un dernier conseil à tous les deux ? Essayez d'éviter la guerre, car quel que soit celui qui paraisse triompher de l'autre, il perd toujours davantage que celui qui a cru perdre. Les époux qui se battent oublient la notion du temps, ils ne se rendent pas compte que la réalité bouge plus vite encore que leur guerre. Quand vous vous serez bien épuisés, vous constaterez, comme dans toutes les guerres, que l'art le plus intelligent est celui de la retraite. L'essentiel, maintenant que vous êtes virtuellement séparés, depuis que je constate votre désaccord, ce n'est pas l'accommodation des restes, c'est la conquête de ce sentiment d'existence qui vous permettra de sauvegarder un peu de votre relation à condition d'en faire vraiment le deuil. Malheureusement, la justice que vous allez rencontrer se trompe de rôle : au lieu d'enseigner à chacun d'entre vous ce que je vous dis, elle va vous donner l'illusion que le règlement de votre divorce vous procurera tout ce qui aurait permis de vous réveiller avant qu'il ne soit trop tard. Pardonnez-moi ce dernier commentaire. Par rapport à ce qui vous attend, je me demande si la justice ne rendrait pas davantage de services en entérinant simplement un tirage au sort plutôt que de vous laisser vous engluer dans un contentieux infini et de tenter de faire gérer par un juge, tel un syndic de faillite, ce que vous-mêmes et la société tout entière n'ont pu aider à faire survivre. Je vous dis cela car vous me semblez capables de l'entendre. Votre affaire est une épure. Je vous souhaite bonne chance.

Pierre et Françoise n'ont pas tout écouté des propos du vieil avocat dont ils ne comprennent pas toute la pensée, surpris qu'ils sont par la sombre évidence qui résulte de cet entretien. Ils sont déjà séparés puisque l'avocat sollicité ne peut s'occuper d'eux en même temps.

En sortant du cabinet de Me Charrier-Deplet, situé sur la rive gauche, à deux pas de l'île de la Cité et du Palais de justice, Pierre dit à Françoise :

– Je te retrouve à la maison pour dîner. Je vais marcher un peu avant de prendre le métro.

Pierre traverse la Seine, puis choisit de tourner à droite et se trouve rapidement devant Notre-Dame, au milieu d'une foule de touristes qui entrent et sortent de la cathédrale. Pris dans le flot, il se laisse porter à l'intérieur dans lequel il n'a jamais pénétré. Comme beaucoup de Français, il est catholique mais non pratiquant. Il a renoncé à l'idée de se marier à l'église à cause des démarches supplémentaires auxquelles cette cérémonie les aurait contraints Françoise et lui (visite au curé, engagement pour l'éducation des enfants). Tout cela l'encombrait et Françoise n'a pas insisté. Il a abandonné tout l'imaginaire religieux vers l'âge de 15 ans comme un petit tas de vêtements devenus trop étroits. Il cherchait davantage d'attraits dans la vie, davantage de saveurs et à ses yeux la religion catholique l'entraînait à l'encontre de ses désirs. Pourtant, et ce jour-là c'est encore le cas, il s'émerveille du gigantisme, du mystère et de la beauté de la cathédrale qui l'enveloppent et le transportent malgré la présence de la foule. Il est saisi de vertige en se promenant la tête levée vers les ciels voûtés – ce même vertige qu'il aurait bien voulu éprouver plus souvent dans sa vie et dont il mesure confusément qu'il lui a manqué avec Françoise. Il eût aimé pouvoir puiser dans cette impression vertigineuse plus d'énergie pour avancer dans l'existence, plus dangereusement, plus généreusement enfin, et il se dit ironiquement que, faute d'y être parvenu, il se retrouve maintenant visiteur obligé du Palais.

Françoise rentre à l'appartement peu de temps après Pierre, tous deux dînent en silence devant des enfants attentifs et inquiets, préoccupés de ne pas faire de bêtise comme s'ils pressentaient qu'un orage va éclater. Après leur coucher, Pierre et Françoise conviennent de se partager les vacances, juillet pour Françoise en Normandie chez ses parents, août pour Pierre dans le Midi. Afin de laisser mûrir la situation dans l'esprit de Delphine et de Jean, ils leurs diront leur décision de divorcer avant de partir.

Françoise ne connaît pas d'avocat, n'a jamais pénétré dans un tribunal. Le lendemain matin, elle recueille auprès de la directrice du magasin où elle travaille le nom de l'avocate qui l'a elle-même divorcée de son mari avec lequel elle exploitait jadis un fonds de commerce – celui-ci lui a finalement été attribué par le tribunal comme prestation compensatoire au terme d'un divorce pénible parce que le mari était parti avec la plus jeune vendeuse, de 25 ans de moins que lui. Aussitôt dit, aussitôt fait. Le lendemain matin, Françoise se retrouve dans le bureau de Me Dugrand-Duval qui, selon l'usage en vigueur, porte deux noms, le sien et celui de son mari dont elle est elle-même divorcée depuis dix ans. Me Dugrand-Duval est bien connue au barreau pour ses théories « guerrières ». Elle fait partie de ce petit groupe d'avocats féministes qu'évoquait Me Dupond devant Pierre. Pour elle, le divorce par consentement mutuel est une erreur, une machine utilisée par les hommes pour imposer leurs conditions ; les femmes s'y trouvent toujours lésées car incapables d'exprimer une frustration. Seul un bon

*Blitzkrieg,* un coup de force au départ, permet de purger l'agressivité latente des femmes et de les placer ensuite dans une position plus sereine et plus solide pour régler les modalités de la séparation. Paradoxalement, Me Dugrand-Duval est très favorable au déploiement de tout cet arsenal de la justice, composé de sciences sociales, de psychologie et même de psychanalyse. Le paradoxe n'est qu'apparent : le divorce n'est en fait, pour cette excellente professionnelle comme pour beaucoup de juges, qu'une sorte de nouveau champ social qu'il convient de labourer et d'ensemencer avec toutes les ressources de la modernité. Champ de bataille, mais aussi champ d'intervention pacifique à « bourrer » de sens pour éviter le vide dont souffre justement Françoise. La justice essaie de faire mentir Malraux qui énonçait cette vérité faisant aujourd'hui horreur au barreau et à la magistrature : « Juger, c'est ne pas comprendre. » Évidemment, malgré tous les efforts des professionnels, il y a bien un moment où pour juger il faut donner à l'un ce que l'on refuse à l'autre – imparable quadrature du cercle. Me Dugrand-Duval est devenue une spécialiste en donnant une vision assez personnelle de cette idée selon laquelle il faut « faire comprendre » à celui qui va perdre. Par culpabilité, la justice ne veut plus assumer de se faire maudire. Elle voudrait que ceux qui en pâtissent l'aiment quand même et disent merci. Dugrand-Duval accepte volontiers de polariser sur elle-même l'agressivité des justiciables masculins qu'elle a défaits. Françoise ne comprend pas grand-chose aux théories exposées par l'avocate. Pour elle, la vie à cet instant se concentre sur un conflit à trancher. Elle ne voit rien d'autre et, de ce point de vue, l'activisme de Me Dugrand-Duval lui convient.

– Votre mari va-t-il accepter votre demande de divorce ?

– Non, répond Françoise, parce qu'il n'est pas d'accord sur la garde des enfants et sur toutes les conséquences qui en découlent.

– Donc, nous allons faire un divorce pour faute.

– Quelle faute ? demande Françoise.

– Tous les comportements qui vous ont conduite à souhaiter le quitter.

Françoise se sent soudain encore plus déprimée, comme si changer de vie parce que celle-ci lui paraît fausse passait nécessairement par encore plus de fausseté. Elle a connu des femmes battues, cachant discrètement leurs plaies. Elle se souvient aussi de la blessure franche et nette subie, tel un coup de sabre, par Fabienne, sa directrice, lorsque son mari l'a quittée pour cette petite vendeuse ressemblant au dernier top model en couverture de *Elle*. Elle garde le souvenir de ces hommes incapables d'assumer la culpabilité de leur vie sentimentale plurielle et qui s'obstinent à rendre leur femme complice en les plaçant dans le fauteuil conjugal de voyeuses obligées. Elle se souvient de tous ces hommes, ici ou là, qui n'aiment pas les femmes et leur font payer la convenance sociale du mariage par mille humiliations quotidiennes. Point de cela avec Pierre qui ne lui a rien dit de sa vie secrète, un homme qui a toujours eu un appétit sincère pour son corps, et peut-être surtout lorsqu'il portait leurs enfants. Un homme capable de lui parler d'une manière exagérément crue, mais qui sonne juste. Et lorsqu'il emploie ces mots elle sait leur sincérité. Pas de hiatus entre ses fantasmes et la réalité. Non, les deux cercles se recouvrent presque parfaitement. Presque.

Alors quelle est la faute de Pierre ? Comment traduire en termes juridiques ce qu'elle ressent ? D'abord ce n'est pas une faute au sens de la morale apprise au catéchisme, c'est une insuffisance. Elle lui en veut de ne pas savoir l'entraîner vers des lieux où « il se passe quelque chose ». Elle s'en veut aussi de ne pas être capable d'y courir toute seule. Exprimant tant bien que mal ses pensées confuses, le discours de Françoise passionne Me Dugrand-Duval. Traduire le « déficit » du mari en termes juridiques et dans le champ clos du divorce est stimulant. De plus, en filigrane, l'avocate distingue dans ce cas de divorce une occasion magnifique de mettre en œuvre les techniques modernes de résolution des conflits : expertise, médiation. On verrait ce que le juge déciderait. Le *Blitzkrieg* ne sera pas de mise car manifestement la cliente ne le supportera pas. La détresse de Françoise ne se définit pas par un refoulement d'humiliations, à moins que cette humiliation ne puisse se jauger qu'à l'aune de critères psychologiques raffinés. L'avocate propose à Françoise de préparer une requête en divorce pour faute dont elle lui établira le projet à partir de ses notes et du mémoire que Françoise lui enverra, rassemblant tous les reproches, même formels, qu'elle peut faire à son mari : comment il s'abstient systématiquement de prendre en considération ses désirs dans la vie quotidienne, sa volonté d'avoir des activités culturelles et sociales nécessaires à une vie normale et utile aux enfants, comment il a développé une attitude taciturne, n'acceptant pas de recevoir suffisamment ses amis, trop absorbé par la télévision. Françoise refuse tout net d'écrire ce mémoire demandé par l'avocate. Elle n'a pas l'habitude d'écrire, prétexte-t-elle. Elle ne veut surtout pas faire cet effort pour se retrouver devant un tableau de sa vie conjugale qui lui rendrait encore plus déprimant ce qu'elle a vécu pendant dix ans. Il y a une limite à l'amertume des potions qu'on veut lui faire boire. Après tout, si elle voit un avocat, c'est pour qu'il fasse le travail, non pas de transformer le plomb en or, mais l'inverse. Si c'est le prix pour avancer.

– À propos de prix, demande Françoise, comment faire pour vous payer ? Je n'ai pas d'argent.

– Vous avez un compte commun avec votre mari ?

– Oui.

– Ou bien vous tirez un chèque de 15 000 francs plus 20 % de TVA, soit 18 090 francs, pour la provision que je vous demande – et nous verrons ensuite – ou bien préférez-vous que je demande une provision *ad litem* ?

– C'est-à-dire ?

– La loi prévoit que si la femme n'a pas les moyens de régler les frais de son avocat, le mari peut être obligé par le juge à lui avancer l'argent nécessaire.

Françoise opte pour la solution du chèque sur le compte commun, pensant qu'ajouter à la frustration de son mari la condamnation à lui payer le divorce est exagéré. Mieux vaut lui expliquer ce retrait, même si la somme est importante.

Me Dugrand-Duval envoie le surlendemain la requête en divorce à Françoise à l'adresse du magasin :

À Madame le Président juge aux Affaires familiales

*Requête en divorce*

Mme Françoise Desjonquilles épouse Dubois a l'honneur de vous faire savoir :

– Qu'elle a contracté mariage avec M. Pierre Dubois le 15 mai 1985 par-devant Monsieur l'officier d'état civil de la mairie du XVIIIe arrondissement.

– Que deux enfants sont issus de cette union : Delphine, le 1er juillet 1986, et Jean, le 3 mars 1988. Les débuts du mariage furent heureux, mais assez rapidement, le mari, après la naissance du deuxième enfant, commençait à marquer un désintérêt de plus en plus grand pour sa femme, la considérant beaucoup plus comme une aide familiale que comme une épouse. C'est ainsi que non seulement la requérante s'occupait seule du ménage et des enfants, mais encore son mari ne lui a permis à aucun moment d'avoir une vie sociale normale, lui interdisant d'entreprendre un métier, excepté pour compléter les revenus du ménage dans des fonctions de vendeuse. À plusieurs reprises, et devant plusieurs témoins, le mari manifesta une opposition grossière à ce que la requérante s'inscrive à l'université pour suivre un cycle d'études supérieures de sociologie. Dans les rares occasions où le mari acceptait de recevoir à son domicile des amis communs, il n'a cessé de la dévaloriser et de tourner en ridicule son désir de sortir des tâches ménagères. Cette constante attitude dévalorisante se doubla d'une désinvolture complète du mari qui, considérant ce foyer comme un hôtel, invitait à dîner au dernier moment des collègues de travail inconnus de sa femme ou, pire, des amis communs sans prendre même le soin de prévenir sa femme. La situation de la requérante s'est encore dégradée plus récemment avec les fréquents voyages du mari à l'étranger au cours desquels, si l'on en croit des allusions publiques du mari, celui-ci a commis des infidélités qu'il n'a pas eu la délicatesse d'essayer de dissimuler à sa femme et à ses proches.

– L'ensemble de ces fautes constitue des injures graves rendant intolérable le maintien du lien conjugal et motive la saisine du tribunal au fond.

– D'ores et déjà, dans le cadre des mesures provisoires, la requérante demande qu'il lui soit accordé l'autorité parentale sur les deux enfants, que lui soit octroyé le domicile conjugal ainsi qu'une pension pour elle-même de 3 000 francs et une pension de 3 500 francs par enfant. Le mari étant de surcroît tenu de régler l'ensemble des charges de l'appartement conjugal. La requérante est d'accord pour que le droit de visite du père s'exerce un week-end sur deux et la moitié des grandes et petites vacances.

Me Dugrand-Duval demande à Françoise d'approuver ce texte ou de le corriger. Françoise trouve la traduction de sa situation conjugale très scolaire et pense que l'avocate s'avance beaucoup sur le chapitre des infidélités conjugales de son mari dont elle ignore tout. L'avocate lui ayant dit que c'était un classique du genre, elle a bien cherché dans sa mémoire et retrouvé le souvenir de quelques propos équivoques de Pierre, retour d'Allemagne. Bien que non étayé, ce « grief » est gardé pour meubler la requête. Françoise, comme son avocate, est bien consciente de la relative faiblesse de l'argumentaire dont elle envisage avec terreur qu'il faudra très rapidement donner les justifications sous forme d'attestations recueillies auprès de ses amis. Elle se voit déjà exposant ses misères et faisant la quête pour obtenir ses preuves. L'activisme de Me Dugrand-Duval la soutient quand même un peu. Celle-ci prétend que les mesures provisoires décidées par le juge vont déclencher une réaction de son mari se voyant jeté dehors de chez lui, perdant ses enfants et condamné à amputer ses revenus de presque la moitié. Pierre, normalement, devrait se rapprocher de son conseil et de sa femme pour dénouer la situation de manière définitive et raisonnable. Bien sûr, il peut camper sur des positions justifiées moralement par la blessure que lui procurera cette procédure, et décider de résister à la demande de sa femme.

Pourtant, cette attitude tactique n'est pas celle des hommes, mais plutôt celle des femmes refusant un divorce sollicité par un mari désireux d'épouser une jeunesse et obligé d'attendre six ans de séparation pour obtenir la possibilité de divorcer même au prix fort. Dans ce cas de divorce avec rupture de vie commune, la loi prévoit en effet le maintien du niveau de vie de la femme délaissée. La femme reste chez elle, pendant six ans, et l'époux est condamné à lui payer une contribution aux charges du mariage, c'est-à-dire une manière de pension avec l'inconvénient de ne pouvoir la déduire de ses impôts puisque le mariage n'est pas dissous. Dans le cas de Françoise et Pierre, c'est l'inverse : il faut pour Françoise démontrer la faute de Pierre qui peut combattre éventuellement avec succès son argumentation tout en refusant de l'attaquer en retour. Saisi de deux demandes de divorce pour faute, le tribunal peut renvoyer les époux dos à dos et prononcer le divorce aux torts réciproques ou « partagés ». Mais si Pierre refuse de jouer le jeu et d'attaquer sa femme en retour, et que les griefs de celle-ci ne sont pas considérés comme valables par le tribunal, Françoise risque de « rester en plan », obligée à la fin de la procédure de réintégrer un mari dans le giron conjugal ou d'attendre six ans pour divorcer. Et pour que le tribunal, la cour d'appel et la Cour de cassation jugent et décident si la demande de Françoise était ou non fondée, il faut patienter trois ans environ. Pendant ces trois années, Pierre se verra tenu par les mesures provisoires et placé dans la situation inconfortable d'être exclu de chez lui et obligé de financer lui-même les conséquences de son exclusion.

C'est là-dessus que parie M^e^ Dugrand-Duval pour demander le divorce de sa cliente. Trois ans et parfois davantage, c'est long, et à 40 ans un homme n'a pas nécessairement envie de perdre trop de temps dans l'incertitude et la précarité. Françoise signe le document et le renvoie à son avocat. De retour chez elle, après avoir couché les enfants et préparé le dîner, elle a le courage d'annoncer à Pierre le début de la procédure en lui demandant de prendre rapidement un avocat. L'un et l'autre frémissent à la pensée de prévenir les enfants de ce qui se passe.

Jamais ces derniers n'ont été aussi sages, comme si confusément ils se sentaient responsables de quelque chose dans le climat pesant qui s'est installé depuis trois semaines à la maison. Pierre et Françoise regardent la situation comme deux malheureuses victimes d'une inondation devant la montée des eaux : par un réflexe instinctif, ils essaient de mettre les enfants hors d'atteinte, tout en sachant que cet effort est vain et que tôt ou tard ils seront atteints.

Pierre prend très mal la requête de Me Dugrand-Duval lorsqu'il la reçoit un matin avant de partir au bureau. Il se souvient de cette réplique fameuse hoquetée par Michel Simon à Louis Jouvet dans le film de Marcel Carné *Drôle de drame* : « À force de raconter des histoires horribles, elles finissent par arriver. » Non seulement on le jette dehors, on lui prend son argent, on lui enlève son logement et ses gosses, mais en plus on pénètre par effraction dans sa vie privée, son jardin secret. Où l'avocate et sa femme ont-elles trouvé ces histoires d'adultère à l'étranger ? Cette Dugrand-Duval doit être l'avocat catastrophe dont parlait Me Dupond lors de son premier rendez-vous au Palais. Comment peuvent-elles connaître les deux ou trois aventures vécues furtivement en Allemagne ? Quels amis vont mentir pour attester l'avoir entendu se vanter de ses conquêtes ? Quels autres amis (ou les mêmes) vont le trahir pour raconter en les travestissant quelques bribes de sa vie conjugale ? « Moi qui croyais avoir trouvé une base avec Françoise, se dit-il, je me suis mis dans un piège à souris. » Plein de fureur, il appelle Me Charrier-Deplet pour lui demander le nom d'un avocat qui pourrait s'occuper de lui.

– Qui est l'avocat de votre femme ?

– Me Dugrand-Duval.

– Elle est un peu féministe militante mais c'est une bonne professionnelle.

– Qui me conseillez vous ?

– Allez voir Me Guisnel, c'est un Breton, un dur. Il a travaillé avec moi jadis. Il a toute ma confiance.

Pierre force presque la porte de ce nouveau conseil pour obtenir un rendez-vous dans la soirée. À 19 heures, il est assis en face de l'avocat, la quarantaine comme lui, dans un bureau très fonctionnel aménagé dans un de ces immeubles cossus de l'avenue Victor-Hugo, près de l'Étoile. Pendant trois bons quarts d'heure, il déroule le fil de l'histoire qu'il a commencé à tirer voici trois semaines.

– À votre avis, pourquoi votre femme veut-elle divorcer ? demande l'avocat à son nouveau client après qu'il a vidé son sac.

La question paraît saugrenue à Pierre. Non seulement on lui prend tout, mais encore faut-il qu'il se mette à la place de sa femme pour comprendre son comportement erratique !

– Est-ce que je sais, moi ? Ce n'est pas pour un homme qu'elle me quitte. La vraie raison c'est qu'il n'y a pas de raison.

– Ce que vous voulez dire, c'est qu'elle n'a pas de raison de rester avec vous ?

– C'est sans doute cela, dit Pierre.

– Il faudra s'en souvenir, dit l'avocat, c'est très important pour les enfants.

– Comment cela ?

– Parce que cela veut dire que les enfants ne sont pas suffisants pour la faire rester, donc que sa volonté de les garder est peut-être moins profonde qu'elle ne le dit.

Quoique la remarque ne paraisse pas très importante à Pierre, il note cependant avec satisfaction que son avocat voit plus loin que lui.

– Le problème, dit l'avocat, est aussi de savoir pourquoi vous voulez absolument les enfants.

– Je ne veux pas tout perdre, dit Pierre. Qu'allez-vous faire ?

– Je vais discrètement, sans demander quoi que ce soit, essayer de faire mûrir la situation. Je vais faire le « ventre mou » avec Dugrand-Duval que je connais bien. Elle est un peu excitée, mais c'est une professionnelle sérieuse. Voudriez-vous garder votre femme ?

Pierre est embarrassé :

– Oui, bien sûr, mais après tout ce qui s'est passé, il n'est pas sûr qu'en récupérant tout je ne perde pas encore davantage !

– Vous commencez à comprendre la musique. Vous voyez comme on apprend vite, dit M^e^ Guisnel avec un sourire malicieux.

– Comment se passe habituellement ce genre de divorce ? demande Pierre.

– Mal, répond l'autre. Vous connaissez M^e^ Charrier-Deplet. Il a une théorie très claire là-dessus : la théorie des pointillés. Comme dans les découpages : quand les pointillés n'existent pas, il faut prendre des ciseaux et découper, mais comme les juges n'aiment pas qu'on les prenne pour des bouchers, ils font mitonner.

– C'est-à-dire ? demanda Pierre.

– Mettre tout à la sauce « psy », faire des enquêtes, des rapports, trouver à temporiser par tous les moyens. On s'évite la responsabilité de juger. On rejette la responsabilité sur des experts, de manière à créer des pointillés pour permettre le découpage avec moins de difficultés.

– C'est ça la justice ?

– Oui, dit l'avocat. Ce n'est pas forcément plus mal que d'être jugé par des gens qui ignorent tout de la psychologie, de la psychanalyse et des sciences sociales en général. Seulement cela crée souvent une certaine confusion des genres.

– Laquelle ?

– Vous verrez, si vous êtes soumis à ce traitement attendrissant. Normalement, le sujet de la psychanalyse véritable c'est vous, c'est moi, c'est votre femme. Tandis que le sujet du « psy conjugal », c'est quelque chose de mort : un couple qui se défait. Alors, comme il faut bien trouver du vivant, ce sont les enfants qui jouent le rôle. Mais comme les enfants n'ont nulle envie de psy, le psy s'occupe de leur « intérêt ». Nul doute que si vous y passez c'est cela que vous connaîtrez : la décision prise « au nom de l'intérêt de l'enfant ».

– Et qu'est-ce que je peux faire ?

– Être adroit. Le jeu s'est déplacé aujourd'hui, et nous les avocats, dans ces sortes d'affaires, devons défendre nos clients autrement qu'avec la procédure puisque la bataille se déroule dans un nouveau champ, celui des sciences sociales, celui de la psychologie. C'est pourquoi les juges ne nous aiment pas toujours beaucoup.

– Pourquoi donc ?

– Parce que nous sommes les représentants de l'intérêt du client qui ne coïncide pas avec la nouvelle norme sociale en matière de divorce : la paix par le psy. L'institution judiciaire essaie de nier la contradiction d'intérêts, d'abord en s'efforçant de faire adhérer chaque conjoint à son désastre, ensuite, à défaut, en épongeant sa difficulté à trancher avec l'aide de la notion de l'« intérêt » de l'enfant, sorte de *deux ex machina* du divorce réussi ! Dans votre cas, je parie fort que c'est le schéma dans lequel votre affaire va être saisie. C'est peut-être votre intérêt de faire semblant de vous laisser prendre par le courant. Pendant ces quelques jours, je vais faire un tour de piste avec l'avocat de votre femme, essayer de savoir quel juge va prendre l'affaire. Je vous rappelle dès que possible.

– Et pour vos honoraires, comment fait-on ?

– Je facture 1 500 francs de l'heure hors taxes et vous enverrai ma note tous les mois.

Pierre se demande comment il va payer tout cela. 18 000 F prélevés par Françoise qui l'a prévenu, sans compter la suite, et à la fin du mois probablement 10 000 francs pour Me Guisnel.

Cette nuit-là, il fait un épouvantable cauchemar, différent et plus effrayant que celui auquel il s'est habitué. Le champ de sa conscience est comme un écran de télévision bleu profond sur lequel on ne distingue presque rien, sauf de vagues ondulations. Tout à coup, quelques images de son enfance apparaissent au milieu de ce bleu des profondeurs, puis se décomposent par morceaux comme si elles se cryptaient avant de disparaître. Enfin l'écran se roule comme un couvercle de boîte de sardines, laissant apparaître un énorme trou noir où son corps n'a plus de poids, plus d'existence. Pierre pousse un grand cri qui réveille les enfants, et Françoise lui apporte un verre d'eau. Cette fois-ci Pierre ouvre la boîte de benzodiazépine et avale un comprimé avant de replonger dans un début de panique qui s'étouffe progressivement avec le tranquillisant.

Le matin, reposé mais un peu flou, Pierre analyse la situation devant une Françoise gênée et des enfants complètement muets. Que peut-il perdre encore ? son boulot. Cette idée le fait rire et, s'il était d'un naturel dépressif, Pierre ferait probablement ce qu'il faut pour être licencié afin de prendre à témoin le monde entier de son infortune totale. Mais Pierre n'est pas de ce genre d'hommes, il sait faire face, en mettant davantage encore d'énergie dans l'accomplissement de ses tâches professionnelles. Pour éviter le désordre et le temps perdu en conciliabules, il n'a pas encore prévenu son entourage. Le chiffre fourni par Me Charrier-Deplet était le seul élément rassurant : si 30 % des couples – 50 % à Paris – divorcent, son cas est banal, on doit bien s'en remettre. Avec cet espoir, Pierre passe ses journées concentré sur son travail.

Françoise, quant à elle, voit se cristalliser davantage encore son désamour pour Pierre. Dans sa glace, tous les matins, elle regarde sa jolie silhouette. Elle a 35 ans, a vécu dix ans avec un homme qui lui a plu pendant quelques années et qu'elle s'est convaincue d'aimer davantage jusqu'à ce que la fausseté de ce sentiment lui claque au visage. Mais que veut-elle aujourd'hui ? Elle pensait pouvoir le découvrir plus facilement avec ce divorce. Ce que leur a dit Me Charrier-Deplet lui a plu : « Votre affaire est une épure », c'est vrai pour elle. D'après les livres lus sur la « féminité », les femmes aiment leur nid et s'intéressent davantage à celui-ci qu'au reste de la vie, à la différence des hommes. Pour elle, c'est l'inverse. Manque ce sentiment d'avoir une place dans l'univers qui, avec Pierre, se réduit à ce nid en toc. Elle a eu beau essayer d'y mettre davantage, tout glissait contre les parois brillantes. Peut-être n'est-ce pas la faute de Pierre, et lui-même est-il pris dans le même piège. Françoise ne peut aller plus loin, envisager cette éventualité et comprendre à ce point son mari. Le divorce ressemble à une marche qu'il faut gravir, quels qu'en soient la cause ou le leurre. D'après les premières conversations avec son avocat, gravir cette marche exige suffisamment de travail et d'énergie pour ne guère penser à autre chose pendant un moment.

Me Guisnel apprend de son confrère Me Dugrand-Duval que l'affaire viendra le 30 juin, avant les vacances judiciaires, devant Mme Perceval, juge aux affaires familiales, à qui l'avocate de Françoise est déjà allée demander cette date exceptionnellement rapprochée, afin de lui expliquer sommairement l'affaire et ce qui justifie cette rapidité. Me Guisnel connaît vaguement ce juge. Il ouvre l'annuaire de la magistrature pour se rappeler son curriculum vitae. Cet annuaire insuffisamment connu des avocats recèle quelques indications sur la vie des juges, leur âge, leurs dates de passage à l'École, leur situation matrimoniale et leur carrière. Mme Perceval est née Desjoie à Bourges en 1946. Entrée en 1969 à l'École de la magistrature à l'âge de 23 ans, elle a donc dû connaître le directeur adjoint des études, Pierre Martaguet, l'un des premiers à avoir introduit les sciences sociales dans le travail judiciaire. Juge d'instance à Villeneuve-sur-Lot pendant sept ans, Mme Perceval a été successivement juge d'instance à Angoulême, puis juge au tribunal de grande instance de Bordeaux, juge à Paris, juge aux affaires familiales à 45 ans, avec le grade de 1-1 (le troisième grade sur cinq dans la carrière des magistrats), et le titre de vice-président. Mme Perceval a donc dû contracter le goût du droit de la famille avec Pierre Martaguet, ce que Me Charrier-Deplet confirme à son ancien collaborateur.

– Belle femme, lui dit-il, joviale et ronde, un peu maternante, à la pointe de la modernité. Elle écoute bien les avocats, moins bien les parties elles-mêmes, et a tendance à « psychologiser » au maximum les choses. Elle est très copine avec Dugrand-Duval, mais sans adhérer au petit péché mignon de notre confrère : ce militantisme féministe qui agace.

M^e^ Guisnel est perplexe. Quelle va être la réaction du juge à l'égard de cette affaire ? « Griefs de la femme contre le mari : faibles ; démolition financière du couple : évidente ; sort des enfants : avec la mère, mais compte tenu de l'absence de griefs sérieux contre le père, une forte bagarre en perspective. Pas d'amant pour la femme ni de maîtresse prouvée pour le mari. Compte tenu du profil du juge, pas de doute, deux chances sur trois pour qu'elle nous désigne un médiateur. Pour le client, un peu de répit pour s'habituer à l'idée du divorce ; pour le juge, un moyen de faire réfléchir la femme à l'hypothèse d'une réconciliation, donc l'utilisation de techniques toutes modernes pour la bonne cause. Reste la femme : quel intérêt peut-elle avoir à cette médiation pénible ? Aucun. Il faut donc laisser le juge la convaincre. » Guisnel, après cette analyse, rend une brève visite à Mme Perceval pour lui parler de son souci à propos de cette affaire. La déontologie lui interdit de faire davantage, car les visites au juge doivent s'effectuer à deux avocats pour le respect du « contradictoire ». Il se garde bien de déflorer son diagnostic, de manière à ce que le juge, l'effectuant lui-même, ait l'impression d'agir dans la plus grande indépendance.

Il est vrai que le dossier n'est pas lumineux pour le juge nanti par expérience d'une bonne capacité à distinguer les divorces terribles sous des dehors apparemment anodins. Avec elle, la justice a délibérément enlevé son bandeau pour essayer de voir clair. Évidemment, restent deux obstacles à cette ambition. Voir plus clair empêche parfois de juger, car l'éclairage du malheur de l'un et de l'autre rend plus difficile encore l'acte de trancher. Mme Perceval est habitée par cette phrase d'un stagiaire de l'École nationale de la magistrature qu'elle a eu au tribunal d'Angoulême. « Que pensez-vous de nous ? » demandait-elle quelques années plus tôt à ce jeune homme de 23 ans, très brillant, qui désirait devenir juge d'instruction. « Je pense que vous rêvez de juger en équité plus qu'en droit, répondit le jeune homme. Mais vous n'avez pas les moyens de connaître ce qui est équitable, alors vous feriez mieux de juger en droit. » Toute la vie professionnelle de Mme Perceval a été animée par le désir de savoir « ce qui est équitable ». C'est la raison pour laquelle elle s'est engagée avec ardeur dans tout un mouvement de la magistrature désireux d'en savoir plus sur le justiciable, notamment avec l'aide des sciences sociales. Bien que n'ayant jamais été juge pour enfants, elle participe à de nombreux travaux avec des psychologues et toute la palette des travailleurs sociaux produits par la société française depuis les années 70. De même, dans son activité de juge aux affaires familiales qu'elle pratique avec un authentique sentiment d'accomplissement très positif, elle s'est jetée à corps perdu dans l'étude de l'activité des conseils conjugaux et la psychologie de l'enfant.

Pendant un an, elle a même tenu à rencontrer un psychanalyste pour essayer de réfléchir à elle-même et à sa profession de manière « didactique ». Mais cet épisode de sa vie s'est assez mal passé, le praticien qu'elle voyait lui ayant indiqué que l'inconscient s'explore selon ses voies qui lui sont propres, et non comme une propriété de campagne divisée entre bâti et non bâti, jardin et potager. Le psychanalyste s'était même laissé aller à lui faire cette interprétation sauvage : « Vous prenez la psychanalyse pour la Samaritaine : on n'y trouve pas tout, mais seulement, avec beaucoup de travail, quelques éléments de nous-même. » Mme Perceval n'a pas analysé son désir d'intervenir dans la vie des gens, tout particulièrement avec les moyens nouveaux mis à la mode avec la réforme du divorce en 1975. Il est évident qu'elle prend un grand plaisir à trancher dans les situations qu'elle a l'impression d'avoir gérées. Elle n'aurait jamais voulu faire de la politique, mais se sent plus apte à exercer son pouvoir sur des situations individuelles. Un divorce bouclé lui procure la même satisfaction qu'un arbre abattu pour un bûcheron : le sentiment du travail bien fait sans culpabilité. Ce qui la gêne dans le droit, c'est son côté aveugle, anonyme ; ce qui lui plaît dans les expertises, c'est justement l'impression de disposer d'une sorte de vérité scientifique qui la déculpabilise d'avoir à rendre une décision et la lui fait aimer.

Me Charrier-Deplet a souvent expliqué en vieux camarade à Mme Perceval la vanité de cet effort. « Le droit est une codification préalable des comportements humains et de leurs conséquences. Avec les sciences sociales, vous élargissez le champ de votre regard et tentez de refonder un code nouveau au nom de la vérité scientifique. Comme vous n'avez aucun point fixe pour vous caler parce que le désir, s'il peut structurer le droit, ne peut être convaincu par le droit, vous créez une abstraction : l'intérêt de l'enfant. Votre utopie est l'espoir d'atteindre la vérité de l'intérêt de l'enfant. Vous reconstruisez ainsi un sujet juridique pour vous entièrement juste parce que coïncidant avec la vérité théorique. Mais que resterait-il de la vie si le droit était juste et si vous deveniez, vous, les juges, les prêtres d'une religion nouvelle, des Mmes et MM. Je-sais-tout. »

Mme Perceval apprécie le caractère paradoxal de cet avocat qui a de surcroît milité avec elle dans les cercles du droit moderne de la famille. L'argument poussé jusqu'au bout de Me Charrier-Deplet est en rhétorique implacable : ou bien les juges détiennent la vérité et ils exercent une dictature sur la vie des gens ; ou bien ils font semblant de détenir la vérité et ce sont des imposteurs. Mme Perceval souriait intérieurement devant les deux perspectives. Son solide bon sens lui faisait répondre que mieux vaut avoir des juges faisant l'effort d'essayer de comprendre quelque chose au justiciable que des juges s'en moquant complètement et distribuant à l'aveuglette des décisions préfabriquées par le code. Mieux vaut aujourd'hui disposer d'enquêteurs et d'experts formés aux sciences sociales que de colonels de gendarmerie en retraite ou de femmes du monde s'occupant ainsi dans l'activité d'enquêteurs sociaux tels qu'elle en a encore vu dans les années 70. Elle se méfie du droit et, comme beaucoup de juges français, elle commence par étudier la situation en fait pour savoir quoi en penser en fonction de sa perception de l'équité. Ensuite, elle va chercher dans la penderie juridique le vêtement convenable pour habiller son idée. Son stagiaire d'Angoulême accusateur de cette méthode avait raison en un sens : il faut étendre les capacités de compréhension des juges. Et, en matière matrimoniale, c'est à son avis chose faite. Elle est heureuse d'avoir trouvé là sa voie.

Lorsque M^e^ Guisnel aborde le sujet de l'affaire de Pierre et Françoise, il sent que toute la culture comme le caractère de Mme Perceval vont probablement s'exprimer par une initiative assez rare ou audacieuse. Mais il ne tente pas d'explorer davantage la pensée du juge, afin de ne pas lui donner l'impression de l'influencer.

Le 30 juin, Pierre et Françoise prennent un taxi qui les dépose devant l'escalier monumental du Palais de justice. Filtrés à l'entrée comme tout le monde par les gendarmes, ils traversent le long couloir qui conduit à l'autre extrémité du bâtiment près de la place Dauphine. À côté de l'escalier donnant accès à la cour d'assises, ils prennent le petit ascenseur qui mène aux chambres matrimoniales. À la sortie de l'ascenseur, au troisième étage, leurs deux avocats sont là. Pierre va s'asseoir dans une salle d'attente pour le cabinet 17, bientôt rejoint par Françoise. Presque à l'heure dite, le greffier du magistrat vient chercher Françoise et l'introduit seule dans le cabinet du juge. La loi prévoit en effet que chaque partie ait un entretien seul à seul avec le juge pour que celui-ci se fasse une idée personnelle et directe de la situation – comme si les avocats pouvaient monter des coups bas en cachette, pensent certains membres du barreau, avec leur mauvais esprit habituel ! Le tête-à-tête nécessaire trahit bien une certaine idéologie derrière la méthode : on quitte le domaine de la représentation et du codage juridique pour entrer de plain-pied dès le premier acte de la procédure dans cette tentative pour le juge de constater la vérité vraie, sans intermédiaire. Même dans le divorce « d'accord », certains juges ne résistent pas à l'envie de mettre par terre des compromis parfois laborieusement élaborés par les avocats. Parfois ils ont raison car le travail est mal fait, et le rôle du juge est de s'assurer de la viabilité d'un accord. Mais il arrive aussi que l'intervention du juge s'accomplisse à tort, faute de mesurer en quelques minutes tout le chemin que les avocats ont fait faire à leurs clients pendant des mois. L'épisode de la confession des parties par le juge est toujours une épreuve pour les avocats qui s'interrogent sur ce qui va en sortir.

En la circonstance, Dugrand-Duval et Guisnel vivent quelques minutes de cette incertitude depuis l'entrée de Françoise dans le cabinet de Mme Perceval. Le juge dit gentiment à celle-ci ne pas comprendre pourquoi elle veut divorcer, et cette dernière se demande bien en quoi ses raisons peuvent intéresser le juge. La première réaction de Françoise est de prendre les propos du juge comme une intrusion inadmissible dans sa vie privée. « De quoi je me mêle, pense-t-elle à l'adresse du magistrat. Non seulement il va falloir que je rassemble des preuves laborieuses et humiliantes pour divorcer, mais en plus il faut que je m'explique sur mon désir intime. » Françoise, furieuse, en veut à son avocate de ne pas l'avoir préparée à cette incongruité.

– Il est important pour moi de savoir, insiste le juge, ne serait-ce que pour me décider sur les mesures provisoires à prendre. Les raisons que vous invoquez sont minces, quoique juridiquement acceptables si elles sont démontrées. Mais par expérience, je constate que beaucoup de femmes ne divorceraient pas pour ces motifs.

Françoise ne sait plus quoi dire. Comment traduire ce qu'elle a conscience de ne pas comprendre complètement ? L'expression brutale de ce qu'elle pense pourrait être une phrase du genre « mon mari m'ennuie », mais d'abord ce n'est pas complètement exact, et cela eût-il été vrai, elle n'aurait pas envie d'en parler à cette dame.

Françoise ne répond pas à Mme Perceval et trouve que le meilleur comportement de substitution à adopter est de verser quelques larmes, ce qui ne lui est pas difficile, car elle se sent pour la première fois humiliée par cette conversation, plus qu'elle ne l'a jamais été par son mari. Elle a l'impression que, décidément, tout marche à l'envers dans sa vie. Alors que pendant dix ans, elle aurait aimé se sentir davantage solidaire des autres et partie prenante à un engagement ou une action dans la société aux côtés de Pierre, le premier contact avec le représentant de cette société ressemble pour elle à une sorte de comparution devant ses parents tenant absolument à connaître ses pensées et ses rêves d'adolescente.

Mme Perceval ne réussit pas à tirer grand-chose de Françoise, sauf la réitération verbale des demandes écrites dans la requête.

– Que penseriez-vous d'une médiation qui vous permette de réfléchir pendant un trimestre à la situation pour voir si vraiment votre décision est irrévocable ? Vous savez, votre différend avec votre mari n'est peut-être pas si grave que cela. Cela vaut la peine d'essayer. Ne serait-ce que pour vos enfants.

Françoise répond qu'elle va en parler avec son avocat. Ce qu'elle fait aussitôt après que Pierre a pénétré tout seul dans le cabinet du juge.

– Qu'est-ce que cette histoire de médiation ? demande Françoise à M^e^ Dugrand-Duval ?

– C'est ce qu'elle vous a proposé ? dit l'avocat. Vous n'avez pas intérêt à refuser si votre mari est d'accord. Si le juge a la médiation en tête, vous risquez de vous faire mal voir en refusant, et cela pourrait avoir des conséquences sur les mesures provisoires, et même sur le divorce final.

Françoise se sent piégée.

À l'intérieur du cabinet du magistrat, Pierre écoute les remontrances quasi maternelles du juge. Avec une femme si charmante, jolie, nantie de toutes les qualités apparentes pour faire une bonne épouse, qu'a-t-il fait pour qu'elle désire se séparer de lui sans pouvoir l'exprimer autrement que par des larmes ? Pierre abonde dans le sens du juge. Il ne comprend pas pourquoi soudain, un matin, Françoise lui a fait part de sa décision. Certes, peut-être a-t-il été insuffisamment attentif, trop enfermé dans son univers de travail. Tous les clichés y passent. Pierre n'est pas mécontent de cette approche qui recadre dans la réalité un phénomène incompréhensible à ses yeux.

– La médiation, oui, pourquoi pas, dit-il au juge, puis, en sortant de son cabinet, à son avocat.

M^e^ Guisnel n'est pas trop mécontent de lui. C'est exactement ce qu'il espérait sans l'avoir jamais formulé.

– Qu'en pensez-vous ? demande-t-il à son confrère.

– C'est assez rare, répondit-elle, mi-figue mi-raisin, compte tenu de la réaction mitigée de Françoise qui va sûrement suivre son conseil d'accepter.

M^e^ Dugrand-Duval n'est pas très satisfaite. Pour une fois, l'arsenal moderne utilisé par le juge a tiré dans ses buts. Elle n'a encore jamais eu de médiation conjugale dans une affaire avant que le divorce soit prononcé, et supporte assez mal l'idée de voir le débat se déplacer sur une scène dont elle va être presque absente. À l'évidence, le médiateur aura forcément des liens directs avec le juge sans passer par les avocats. L'un et l'autre se feront leur petite idée de l'affaire. En quelque sorte, la scène judiciaire sera doublée par une autre scène dont les règles du jeu échappent à la transparence et à la discussion des avocats. Tout à coup, elle comprend le jeu de pouvoir nouveau qui s'instaure avec la présence d'un médiateur. Ainsi qu'elle s'est surprise à le dire à Françoise, puisque c'est une idée du juge, dire non à la médiation revient à dire non au juge ; c'est donc se placer dans une situation d'infériorité dont la sanction peut être d'abord la désignation d'enquêteurs et d'experts qui, nécessairement, ne manqueront pas de s'interroger sur les motifs d'une pareille dérobade.

M^e^ Guisnel, lui, réfléchit à ce qui va se passer plus tard. Il s'amuse à voir la démarche d'un juge particulièrement bien perçu par le milieu. En la matière, prendre une décision parce que c'est inévitable, en reconnaissant qu'elle est imparfaite, est supportable pour celui qui en est l'objet et qui la vit comme injuste. Mais quand le juge veut faire passer la décision pour la traduction de la vérité, c'est insupportable et encore plus injuste. La perspective de ce qui allait s'ouvrir avec ces deux justiciables émeut Guisnel comme le sort de ces malades qui entrent dans un hôpital pour une série d'examens de plus en plus douloureux. À moins que... Guisnel a l'intuition d'un dénouement plus rapide, sans savoir exactement pourquoi. L'attitude de Françoise le déroute. Généralement les femmes habillent davantage leur volonté de divorcer. Pourquoi Charrier-Deplet leur a-t-il dit que leur affaire est une « épure » ?

Tout le monde est maintenant rentré dans le bureau du juge Perceval. Celle-ci fait un petit discours bon enfant, expliquant qu'à la lecture des pièces de la procédure et à l'écoute de chacun des époux, elle pense que la décision la plus appropriée serait une ordonnance d'ajournement à quatre mois pour permettre à un médiateur d'intervenir afin d'essayer de rapprocher Françoise et Pierre et, le cas échéant, d'examiner comment ils pourraient se séparer dans le meilleur intérêt des enfants.

– Qu'en pensent les avocats ?

Les avocats opinent. Me Dugrand-Duval demande au juge d'expliquer aux clients comment cela se passera.

– Tout d'abord, c'est un processus qui peut s'interrompre à tout instant, dit-elle. Si des faits graves le justifient, votre avocat peut me ressaisir à tout moment pour que je prenne une autre décision. Je pense cependant que quatre mois constituent un délai correct pour arriver à quelque chose, compte tenu des vacances de juillet et août où rien ne se passera. Ensuite, la personne que je vais désigner ne vous impose rien. La décision prise sera votre décision à tous les deux, rien de plus. Vous allez voir Mme de

Latour. Elle a une grande expérience du couple, elle a été l'une des premières à travailler avec notre équipe comme conseillère conjugale. J'ai toute confiance en elle.

Mme de Latour est en effet l'une des premières femmes, en 1979, à être montée au créneau des médias pour expliquer l'utilité d'une écoute conjugale et l'intérêt de cette activité de conseil qu'elle dispensait avec l'accord de tout ce mouvement de la magistrature né sous l'impulsion de Pierre Martaguet. Mme de Latour est une bonne réparatrice, frottée de psychanalyse. Elle sait assez bien soigner les symptômes d'une rupture dans les couples. Assez grande, les cheveux presque blancs, très distinguée, elle parle sans affectation mais avec la lenteur et le calme de cette époque où les psychanalystes s'efforçaient pour le paraître de s'exprimer de la manière la plus neutre possible.

Contrairement à ce que leur a dit Mme Perceval, Mme de Latour les appelle juste avant le départ en vacances pour avoir un entretien avec chacun d'entre eux. C'est d'abord Pierre qui se rend à son rendez-vous, dans un petit bureau d'une association d'enquête sociales et médico-psychologique du XV^e^ arrondissement. Elle l'écoute longuement parler de sa vie conjugale avec Françoise, sans histoires aux yeux de Pierre. Dix ans de bonheur de son point de vue, sans anicroches particulières. Amour, travail, enfants, tout « roulait » correctement, et Pierre ne voit nullement ce qui a pu pousser sa femme à demander ainsi le divorce. « Que pouvais-je faire de plus ? » dit-il. L'absence d'éléments à ôter ou à rajouter dans le jardin conjugal le laisse complètement désarmé et incapable de décider d'une politique pour récupérer sa femme.

Pour Mme de Latour, le tableau est fort sombre. Elle ne voit là rien qui puisse servir à la « rééducation » dont elle est familière. Ou bien Pierre lui cache quelque chose que lui dirait Françoise, ou bien Pierre est un emm... obsessionnel dont la seule présence suffit à faire perdre aux autres leur goût de la vie. Elle a connu ce genre d'homme, mais généralement une femme n'attend pas dix ans pour s'apercevoir qu'il l'ennuie. Pierre est soulagé de pouvoir s'exprimer ainsi devant cette dame posée représentant l'autorité, dont il attend fortement les cartes et la boussole nécessaires pour se repérer. Son avocat l'a vivement incité à se « déboutonner », sachant qu'il n'exposera rien de bien dangereux à la compréhension de la médiatrice. En se regardant dans la glace de l'ascenseur, Pierre s'aperçoit qu'il a vieilli. Au bout de dix ans de mariage, il n'a pas senti le temps passer. Puis, tout à coup, en portant attention à son image, il a le sentiment que le sablier de sa vie s'est débloqué : la « fuite » de Françoise le secoue tellement que le sable du sablier qui s'était cristallisé recommence à filer. Tout son horizon est envahi par les conséquences de la brisure et par ses causes. Il faut donc vivre avec cela.

Le chemin inverse est parcouru par Françoise, quoique ce qui l'a déterminée à divorcer ne soit pas encore clairement identifié. Après tout, se dit-elle, essayons de jouer le jeu avec cette dame. Elle se rend dans le même petit bureau que Pierre et, à défaut du pourquoi de ce divorce, tente d'expliquer le comment à la médiatrice. Elle fait état de ce récit qui s'arrête tout net dans sa tête faute de pouvoir continuer à être alimenté tous les jours. De son sentiment d'être morte à côté d'un « gardien », de son rejet brutal de cet homme. Elle parle de son bonheur d'avoir été mère, de l'émotion de ses accouchements par contraste avec sa tristesse au quotidien. Toute cette exposition d'elle-même coûte énormément à Françoise. Pourtant, Mme de Latour se montre discrète, très délicate, et lui rend cet entretien le moins difficile possible. Avec quelques mots simples, celle-ci lui fait remarquer que Pierre va peut-être beaucoup bouger grâce à cette crise et que le changement peut faire revivre ce qui lui paraissait mort. Après tout, cet ennui, cette désertification, cet assèchement peuvent ne pas venir uniquement de lui mais aussi d'elle-même.

– « La route qui monte et qui descend est une et la même », dit la médiatrice, citant Héraclite. C'est bien vous qui avez choisi Pierre. Vous étiez heureuse de l'épouser. Il n'a pas beaucoup changé. Peut-être faudrait-il regarder ce qui vous a plu voici dix ans qui se renverse aujourd'hui. Pensez aux débuts de votre mariage, ce que vous avez vu de Pierre à l'époque était peut-être aussi faux que ce que vous en voyez aujourd'hui. Peut-être vous reste-t-il à découvrir vraiment votre mari ? Cette crise est peut-être une chance pour votre mariage.

Tout en écoutant son interlocutrice, Françoise la compare à un réparateur de porcelaine. « Et un réparateur de porcelaine n'aime que les vases et pas les morceaux. Moi, je suis un morceau aujourd'hui. Mais en tant que tel, j'existe. » Tout ce que lui dit la médiatrice l'éloigne encore un peu plus de Pierre. Rien de ses propos ne peut être recevable parce que cette dame veut faire revivre ce qui est bel et bien mort.

– Pensez aussi à la responsabilité que vous avez contractée comme parent à l'égard de vos enfants. Dans la mesure du possible, si votre couple peut se réparer, vous leur éviterez un désarroi dont on connaît bien les dégâts. En plus de cela, sept ans et neuf ans sont des âges assez fragiles pour les enfants, qui commencent à s'accrocher aux images de leurs parents pour préparer leur mue de l'adolescence. Aujourd'hui le mot devoir n'est plus à la mode. On parle de contrat et d'obligation. De ce point de vue, quel que soit le vocabulaire, les enfants ont des droits sur leurs parents, celui d'exiger qu'ils fassent au moins un effort pour rester ensemble. Au moins essayer.

« Voilà maintenant qu'on me fait la morale », pense Françoise. Pour la deuxième fois, depuis le début de la procédure, elle ressent la curieuse impression d'entendre une cassette à l'envers, d'abord avec le juge et maintenant avec la médiatrice. Elle n'a pas attendu 35 ans pour soudainement passer du plaisir au devoir. L'officier d'état civil, en la mariant avec Pierre, a bien évoqué ce mot de devoir contenu dans le code. Mais pendant les dix ans qui ont suivi, elle s'est retrouvée sur une sorte d'île déserte. Du bonheur conjugal, de la maternité, de l'entretien de son « chez-soi », elle a l'impression d'avoir épuisé tous les charmes. Et maintenant ? Maintenant, une dame gentille et posée, parlant comme un ordinateur, lui repasse la chanson des devoirs, des efforts à faire, de l'intérêt des enfants. Là, Françoise se sent flouée. Pourquoi s'est-elle retrouvée toute seule pendant ces dix ans, sans autres rêves ? Comment ses enfants vont-ils pouvoir vivre avec une mère uniquement investie dans le devoir ? La cassette est bien montée à l'envers. Ce que lui propose la médiatrice revient à s'enfoncer un peu plus profondément dans ce qu'elle désire quitter. Se rapprocher des autres, au contraire, lui apporterait volontiers ce surcroît de forces et d'intérêt dont son mari et ses enfants profiteraient. Comme sa grand-mère, qui a eu tant d'enfants et lui racontait lorsqu'elle était petite une sorte de saga où tout était à sa place, y compris l'église. Françoise avait bien le sentiment que sa grand-mère idéalisait son grand-père, homme un peu raide, patriarche fruste. Mais à 75 ans, elle avait une histoire à raconter qui se liait à celle des autres, aux échos lointains de la guerre de 14 et aux fortes émotions de l'Occupation où, plusieurs fois, par quelques justes regards généreux et même quelques gestes, cette femme avait eu la possibilité de se sentir partie d'un tout. Or ce « tout », pense Françoise, je ne l'ai frôlé qu'à la clinique lors de mes accouchements, et mon mari, quelles que soient ses qualités, ne m'a pas connectée à ce « tout ».

En écoutant Françoise, la médiatrice se demande s'il ne faudrait pas un jour créer des animateurs sociaux autant que des « réparateurs ». Son argumentaire défaillant l'entraîne vers une méditation douloureuse quant à la limite de son art. Elle voit de plus en plus de jeunes femmes dans le même état que Françoise, et se fait l'effet d'un brancardier destiné à réparer les blessés de la conjugalité moderne pour les renvoyer au combat. Âgée de 60 ans, elle appartient à une génération qui avait encore un pied dans l'Église et un autre frileusement proche de la psychanalyse. S'occuper des autres avec des techniques de sciences sociales ou avec seulement des principes religieux et moraux revient à peu près au même. De l'Évangile et de toute sa chaîne d'interprétations, on est passé en l'espace de trente ans à la croyance scientifique dont l'infirmité tient à sa prétention à n'être pas seulement une croyance, mais une vérité scientifique. Prédicatrice d'un genre nouveau, elle tente de faire partager le nouvel évangile à des ouailles perdues comme Françoise. Elle n'est pas surprise devant le mouvement de désaffection à l'égard du mariage. Comment pourrait-il en être autrement puisque le mariage ne s'inscrit plus dans un bloc de repères sociaux ! « Moi d'abord, moi encore et moi ensuite » : ce phénomène d'atomisation n'est pas maîtrisable ; chacun, replié sur soi, se détermine lui-même sur tout et sans autre guide que ses propres fantasmes ou son désir fugitif. Comment peut-on se marier comme cela ? pense-t-elle.

Pour avoir travaillé aussi pendant une période avec l'association « Le Nid », elle a beaucoup appris des prostituées. Ainsi pour un homme – en tout cas avant le sida – « monter » avec une fille satisfait souvent une pulsion pour un détail physique. Beaucoup d'hommes se marient sur la même impulsion. Et beaucoup de femmes se laissent épouser pour vite sortir d'un milieu éprouvant. Parfois aussi, et sans doute est-ce le cas de Françoise, le mariage pour une femme est-il l'occasion ou l'espoir d'atteindre ce que le jargon appelle la « socialisation ». En raccompagnant Françoise vers la porte, Mme de Latour se demande vraiment quel rôle on lui fait jouer : les familles ne préparant plus les mariages comme jadis en déterminant avec des critères sommaires mais éprouvés qui pouvait épouser qui, c'est elle qui se retrouve chargée de recoller les morceaux. Trop tard pour expliquer à tous ces fourvoyés ce qu'est la vie à deux inscrite à l'état civil. Inutile de regretter le passé qui avait aussi ses mauvais côtés en laissant trop souvent dans les familles la sottise et l'intérêt de certains égoïsmes triompher. Mais au moins cette époque ancienne ne trompait pas les jeunes sur la marchandise en leur laissant croire que le mariage est ce bazar universel où on trouve tout : la famille, l'intérêt, la sexualité, le rêve. Alors qu'avant tout il est un creuset de socialisation fondé sur la famille, un simple cadre de travail pour comprendre l'univers. Pas étonnant que les statistiques du mariage piquent du nez de même que son substitut, l'union libre. Elle vient de lire que près de six millions de jeunes de plus de 25 ans choisissent de vivre chacun de leur côté et de s'aimer sur rendez-vous. D'ailleurs, elle-même, que fait-elle aujourd'hui ? À 60 ans, après avoir élevé ses trois enfants, divorcée voici dix ans, elle a d'abord renoué avec un vieil ami d'enfance qui lui prouve depuis trois ans que le désir et l'amour n'ont pas d'âge. Sa vie lui convient parfaitement. « En fait, pense-t-elle, la société tout entière, par sa culture, faisait jadis comprendre aux jeunes autrement qu'au tableau noir les difficultés et valeurs composant le mariage. Tout se tenait de manière cohérente. La mort, en outre, venait opportunément éviter des déchirements dus à la lassitude en emportant au bout de quinze ans de nombreux maris, et un certain nombre d'épouses qui mouraient en couches. Les hommes allaient se soulager de leurs fantasmes au bordel au lieu de se trouver des histoires d'amour minables nées de frustrations. Les femmes pouvaient aussi connaître des passions, au pire comme Mme Bovary, au mieux sur le modèle de George Sand, et le mariage se portait bien. Roseline de Latour ne parvient ni à détester le passé ni à repousser ce présent dont elle traite cependant les gueules cassées conjugales, parfois hideuses. Le monde change dans sa totalité. Il faut s'y habituer.

En quittant la médiatrice, Françoise n'est plus tout à fait la même qu'en entrant. L'intervention de cette nouvelle interlocutrice l'a confortée dans sa volonté. Cette impression d'impudeur en exposant ses angoisses ne tient pas à la personne de cette femme, mais à l'origine de sa mission qui commence par un viol. Sans parvenir à l'expliquer clairement, Françoise éprouve une révolte fondamentale à l'idée d'avoir à ouvrir son âme à la justice. Tout ce qui se prépare dans cette procédure de divorce et qu'elle subodore à travers la médiation lui fait horreur. Elle veut bien continuer à s'observer dans la glace au propre comme au figuré, elle n'accepte pas la rééducation. « Personne ne me contraindra à faire ce que je ne veux pas » s'est-elle dit quand sa mère, pour l'aider, avait voulu la confesser après l'échec de son premier amour. En sortant de chez la médiatrice, cette certitude lui saute au visage et la soulage. Françoise réfléchit en se faisant l'effet d'un rat dans un labyrinthe : « Abandonner ma décision de divorcer ? non. Passer sous les fourches de la justice ? non plus. Occuper deux ou trois ans de ma vie à me déchirer avec mon mari, pas question. Mais alors abandonner les enfants ? Vivre de quoi ? Comment ? » La médiatrice lui parle de rapprochement, son avocate lui parle de guerre. Elle ne voit guère d'issue. En feuilletant un hebdomadaire dans le métro, elle tombe sur un article consacré au livre d'un psychanalyste. Ce qu'elle en lit lui fait songer qu'un tel homme peut l'aider à voir clair en elle-même. Le soir même un rendez-vous est pris.

Face à cette décision, Françoise ressent une impression voisine de celle de Pierre lorsqu'il est allé consulter un avocat sans elle afin de tenter d'y voir clair. Tout seul. Troisième décision marquante depuis la fermeture de la porte des confidences à sa mère. Mariage, divorce, psychanalyste. Et les enfants ? Les droits des enfants qu'invoquait la médiatrice ? Françoise pense qu'il est préférable que ce soit elle qui aille voir un psychanalyste plutôt qu'eux. Elle perçoit avec épouvante l'idée qu'ils puissent être pris dans cette machine qui la fait fuir. Par méthode et avec la complicité de Pierre, elle les a tenus constamment sur le bord du précipice conjugal, se sentant inapte à leur parler avant de déterminer sa conduite. « Je ne vais quand même pas leur demander leur avis pour divorcer », se dit-elle. Et pourtant, selon ce que lui a expliqué Me Dugrand-Duval, la justice va chercher par tous les moyens à savoir chez qui ils veulent demeurer. L'obscénité de cette éventualité la glace encore plus que sa propre comparution devant le juge. Elle qui, toute sa vie s'est efforcée d'éviter qu'on empiète sur son territoire, que ce soit ses parents, ensuite son mari, puis son travail, élève ses enfants avec un immense respect pour leurs rêves, leur monde. Elle imagine tout cet effort brisé par des voleurs qui, avec leurs questions, vont fracturer leurs jeunes consciences. Ce deuxième viol sur ses enfants la conforte davantage dans sa volonté de se protéger, de les protéger. Elle se sent déjà humiliée par ce qu'elle imagine à travers les propos rassurants et pleins de gourmandise de son avocate.

Pierre est mentalement absent, tout absorbé par la montagne de problèmes que le divorce l'oblige à résoudre. L'évolution de la situation l'inquiète moins qu'au départ puisque la justice a en quelque sorte placé Françoise dans la bonne position, en lui demandant de s'expliquer. Son avocat laisse le mouvement s'engager en intervenant le moins possible.

Françoise n'est pas déçue par l'allure du psychanalyste qu'elle a choisi grâce à l'hebdomadaire. Jean-François Dubois ressemble aux images du bon Dieu des catéchismes de jadis.

– Qui vous a donné mon nom, demande-t-il à Françoise ?

– Un hebdo qui citait les bonnes feuilles de votre livre sur le pouvoir.

– En quoi cela vous a-t-il déterminée ?

– Je me suis dit que si vous serviez de miroir à des patients involontaires, vous pourriez aider une volontaire qui veut divorcer.

– Pourquoi, divorcer pour vous c'est prendre le pouvoir ?

– Oui, sur ma vie.

Et Françoise de dévider le fil de tout ce qu'elle a

censuré dans ses explications au juge et à la médiatrice. Ses accouchements, ses quelques marottes, sa fascination pour les femmes africaines de sa rue, ce déclic un matin, sa décision de divorcer. Jean-François Dubois l'écoute avec attention en opinant du chef de temps en temps.

– J'ai 35 ans, je ne veux pas mourir idiote.

– Qui vous y force ?

– La justice.

– Pourquoi donc ?

– Elle veut me rééduquer pour que je ne divorce pas. Et si elle échoue, elle va massacrer mes enfants.

– Massacrer ?

– Enfin, esquinter.

– Pourquoi ?

Françoise ne sait pas quoi répondre. L'image des voleurs fracturant les jeunes consciences revient.

– Tout est à l'envers pour moi.

Le psychanalyste lève les sourcils.

– Je veux dire : on veut me prendre aujourd'hui ce qu'on ne m'a jamais donné hier.

– Expliquez-vous davantage.

– Je ne peux pas. C'est contre cela que je bute. Je veux comprendre ce qui se passe, pourquoi j'étouffe, pourquoi je suis obligée de divorcer.

– Et vous voulez divorcer avant de comprendre ?

– Oui, parce que j'ai le sentiment que le film de ma vie va se remettre à l'endroit.

– Je ne suis pas là pour vous donner des conseils, n'en attendez pas de moi, prévient le psychanalyste. Et il n'y a pas de « mais ». Je suis là pour vous écouter et vous faire vous écouter. Vous savez, beaucoup de gens vont voir une diseuse de bonne aventure, d'autres un psychanalyste. Dans un cas, le discours s'enroule autour du client, discours qui ne veut rien dire mais auquel le patient silencieux finit par donner sens ; dans l'autre cas, c'est votre discours qui s'enroule autour de moi qui reste le plus souvent muet pour que vous puissiez vous entendre. L'inconscient est volatil comme un courant d'air. Il faut le cadre de travail de la psychanalyse pour l'apercevoir. Mais d'un autre côté, il est aussi colonne de cathédrale et soutient la voûte de votre vie. Ce sera long et difficile, onéreux aussi, et rien ne garantit que ce que vous voulez aujourd'hui sera ce que vous obtiendrez, puisque c'est de votre désir qu'il sera justement question le plus souvent. Je ne sais pas ce que signifie pour vous votre visite chez un psychanalyste.

– Peut-être me permettra-t-elle d'utiliser davantage mon énergie, dit Françoise. Combien de temps cela prend-il ?

– Il est impossible de le dire, cela dépend de chacun et de ce que vous en attendez. Cela varie de quelques mois à plusieurs années, à raison d'une, deux ou trois séances par semaine.

– Et financièrement ?

– Avec des revenus comme les vôtres, je pratique des tarifs de 300 francs la séance. C'est le premier problème à résoudre dans la cure : trouver l'argent pour investir sur soi.

Au bout de trente-cinq minutes, la séance est terminée. Françoise ne paie pas les 300 francs qui ne lui sont pas encore demandés, le regrette presque, et promet de rappeler pour donner sa décision.

La nuit, seule dans son lit, dans cet appartement qui continue à tourner comme un navire ronronnant avant un naufrage, Françoise repasse dans sa tête tous les événements qui l'ont finalement conduite chez un psychanalyste. Dans ce labyrinthe, elle ne perçoit pas d'autre voie à emprunter. « Me remettre à l'endroit », se dit-elle. Progressivement s'installe dans son esprit l'idée d'une nécessaire solitude. De même que sa décision de divorcer a été prise en se regardant toute seule dans la glace, de même il lui faut repartir à l'assaut de son existence, sans prothèse, sans brouillage, pour pouvoir appréhender le monde extérieur à partir de sa propre conscience d'elle-même et de son corps. À force de se mettre des sacs sur le dos comme une mule, elle a fini par ne plus sentir son propre poids ni ce qu'elle porte. Un sanglot la secoue lorsque l'image d'amarres rompues suggère la silhouette de ses deux enfants côte à côte sur un port, la regardant s'éloigner. « Mais quelle image de moi leur donnerai-je si je reste dans cet état ? » Combien de fois n'a-t-elle pas entendu ce refrain du devoir de rester en ménage dans l'intérêt des enfants ! Suffisamment en tout cas pour que, dès la question posée par Me Charrier-Deplet, elle ait répondu précipitamment vouloir les garder, créant par là ce conflit irrémédiable avec Pierre. « Mais que leur dire ? Comment faire pour leur expliquer ce que je ne me sens pas capable de dire au juge, à la médiatrice, au psychanalyste ? Et comment vivre, avec quel argent ? »

Françoise reprend rendez-vous avec Me Dugrand-Duval. L'avocate l'écoute avec une attention mêlée d'irritation, celle que ressentent les guerriers lorsque les politiques leur disent de ranger les armes. Rendre les enfants avant de les avoir pris, voilà comment se traduit la nouvelle décision de Françoise. Mais en bonne professionnelle, Me Dugrand-Duval fait un effort sur elle-même pour essayer de trouver dans la nouvelle configuration du dossier ce qui peut être utile à la cliente. D'ailleurs, le souvenir d'une méchante aventure incite l'avocate à la prudence. Après s'être battue pendant cinq ans pour ce qui à l'époque était la « garde » de deux enfants de 10 et 13 ans par leur mère, elle avait, un instant de lassitude aidant, fait ce commentaire : « J'espère que vous les voulez vraiment, vos enfants ! » Un abîme s'était ouvert sous ses pieds en entendant sa cliente répondre : « Non, j'en ai marre ! – Pardon ? – J'en ai marre. Qu'il les prenne. Qu'est-ce que j'en ai à faire d'avoir leur garde alors que tous deux sont en pension ? À quoi je ressemble, moi, d'avoir la garde, si c'est pour me traîner à l'autre bout de la France deux jours par quinzaine pour les voir au restaurant ou dans la pension, dans un parloir, comme dans une prison. Tout ça pour me faire bien voir des éducateurs, du psychologue et de la deuxième batterie d'experts que le juge a désignés. Tout ça pour ne pas céder devant mon mari. J'en ai marre ! » Ce jour-là, Me Dugrand-Duval prit la claque de sa vie en s'apercevant qu'avant de se lancer, il eût été préférable d'écouter davantage sa cliente pour ne pas mener une bataille qui finalement n'était pas la sienne. Aussi, devant Françoise, cherche-t-elle à circonscrire complètement la décision à laquelle elle est parvenue.

– Vous voulez toujours divorcer ?

– Oui, absolument ! Je veux divorcer tout de suite, sans médiation, sans expertise, sans discussion. Qu'il garde les enfants. Je les verrai un week-end sur deux et la moitié des vacances. Qu'il garde l'appartement. Je veux sortir de cette cage au plus tôt, quel qu'en soit le prix. Je ne veux pas de pension, rien que mes vêtements.

– Mais l'argent ? Comment allez-vous vivre ?

– Je ferai des ménages, s'il le faut, en plus de la boutique.

Me Dugrand-Duval suggère qu'elle prenne sa part de l'appartement commun : 135 m² à 13 000 francs le m², 1 755 000 francs moins 1 million de francs qui reste à payer sur dix ans, font 755 000 francs, divisés par deux, soit 377 000 francs.

– Votre mari a-t-il des économies ?

– Oui, environ 200 000 francs qui lui viennent de l'héritage de son père.

– Restent 177 000 francs à trouver. Il peut vous les payer sur trois ans à raison de 4 900 francs par mois. Avec cela vous pourrez juste vous retourner et voir venir.

Françoise est d'accord sur tout.

Lorsque Me Guisnel apprend ce coup de théâtre par sa consœur, il s'en réjouit car il espérait ce dénouement, n'en parlant pas pour conjurer le sort. Depuis l'origine, il pense que l'absence de raisons claires données par Françoise pour divorcer est le signe que la question des enfants se résoudrait peut-être car son désir de divorcer paraissait plus fort que tout. Il annonce la nouvelle à Pierre, soudainement soulagé comme si les murs de son cauchemar se remettaient en place et redessinaient son espace, son territoire. La perte de son petit héritage lui paraît sans gravité, et le règlement pendant trois ans de 5 000 francs par mois tout à fait supportable. Il n'a pas tout perdu, mais presque gagné quelque chose. Puisque Françoise veut partir, qu'elle parte, lui reste avec les enfants. Cette spirale folle qui s'est déclenchée s'arrête. À lui seulement de gérer la perte de cette femme qui demeure pour lui un mystère et qui se préparait à redevenir une étrangère. Parfois, pourtant, Françoise lui a fait quelques signaux directs mais discrets qu'il n'a pas cru bon de relever, ressentant toujours devant cette invitation à la voir une forte inquiétude à l'idée de se trouver placé devant des mots ou des mouvements qui pourraient l'embarrasser, voire l'effrayer. Pierre préférait se limiter à la surface, au souvenir si particulier de sa femme qui déclenchait toujours ce même réflexe d'apaisement et dont il allait falloir se passer. Mais ses deux enfants vont occuper son esprit, son temps et l'empêcher de se poser trop de questions sur son angoisse de fond, lui permettre de continuer à prendre la vie comme elle vient.

Les avocats préparent les actes du divorce par consentement mutuel. Mme Perceval, un peu étonnée de voir la solution retenue par les deux justiciables, en déduit que la médiation a encore démontré son efficacité. Mme de Latour recherche avec pertinence quel effet d'épouvante elle a pu produire chez Françoise et encore une fois s'interroge sur la nature de son activité.

Après un deuxième passage chez le juge à la dernière audience avant les vacances judiciaires, et dans l'attente de l'épuisement du délai légal de trois mois pour l'homologation définitive des conventions, il faut bien que Françoise se résolve enfin à parler aux enfants.

À côté de Pierre, avant le dîner, Françoise réunit Jean et Delphine autour de la table de la salle à manger. Les deux gosses n'en mènent pas large. Ils se demandent quelle énorme bêtise ils ont pu commettre, et attendent qu'éclate l'orage qui seul pourra mettre fin à ce climat à couper au couteau depuis six semaines.

Jean et Delphine se portent bien. Ils vivent parfaitement dans le système familial avec un père présent mais aucunement pesant, qui s'occupe d'eux ponctuellement pour des activités communes, notamment sportives, satisfaisant tout le monde sans affectation. Toujours disponible quand il est sollicité, Pierre « fait le père à la demande ». Le frère et la sœur se sentent en sécurité devant son humeur toujours égale. Ils adorent leur mère. Ils savent qu'ils sont la grande aventure de sa vie et profitent de sa capacité à les laisser étendre leur territoire au fur et à mesure de leur croissance.

Pierre et Françoise ne se sont pas vraiment disputés, et rien n'a filtré du divorce en préparation. Le seul événement qui ait traumatisé Jean, le plus jeune, reste l'abandon par leur père du lit conjugal. Comme il a pris l'habitude le soir de cacher dans le lit de ses parents un petit dinosaure en plastique mou, Jean se demande avec de fortes angoisses si sa mère, croyant que c'est son père qui dispose ces petites horreurs, ne s'est pas fâchée avec lui à cause de cela. Au bout de quinze jours, Jean en a parlé à Delphine qui l'a rassuré, mais elle-même repasse sans cesse dans sa tête ce qu'elle aurait pu commettre elle aussi qui explique que cette tension devienne insupportable.

Françoise se jette à l'eau :

– Mes enfants, papa et moi nous allons divorcer. Nous allons nous séparer, ne plus vivre ensemble. Je vais quitter la maison, vous resterez avec votre père. Je viendrai vous voir régulièrement. J'aurai un autre chez-moi où vous viendrez me voir. En attendant nous partirons ensemble tous les trois la semaine prochaine.

– Pourquoi tu t'en vas ? demande Delphine.

Françoise s'attendait à cette question à laquelle elle ne sait pas quoi répondre. Elle se surprend à dire :

– Parce que moi aussi j'ai besoin de grandir. Et que je ne peux pas le faire ici.

– Pourquoi ? On te gêne, maman ?

– Pas du tout, ma chérie, mais je m'ennuie avec ton papa.

C'est le maximum de ce qu'elle peut dire et elle s'étonne elle-même d'être soudainement capable de sortir une vérité aussi énorme.

Delphine se sent soulagée et tout à coup pleine de curiosité à l'idée de rester à la maison avec son père, sans sa mère. En même temps, Françoise sent une sourde inquiétude commencer à poindre comme si tout à coup les jeux étaient terminés. Ce qu'elle a déclenché va se concrétiser.

# III

# Un accident

Le carrefour de la rue de l'Université et du boulevard de La Tour-Maubourg est funeste aux motards. Aux premières loges, le magasin Petrossian dont les employés sont las de ces accidents transformant les chevaliers bottés et casqués en gisants sur le trottoir devant la vitrine. Du côté gauche du boulevard, le couloir d'autobus permettant une circulation à contresens. À droite, un large flux se dirigeant vers la Seine, scandé par un feu rouge qui permet de tourner à gauche en coupant la voie à contre-courant. Plusieurs fois remanié, nanti d'une borne en béton pour marquer le couloir de bus, l'endroit reste toujours, paraît-il, familier au SAMU.

En cet après-midi du 3 janvier 1996, à 15 h 30, un homme de 50 ans, chevauchant une grosse cylindrée, patiente à l'extrême bord du couloir d'autobus, à l'alignement gauche de la borne, face à l'épicerie de luxe. Le bruit sec caractéristique de l'enclenchement de la boîte de vitesses par le sélecteur au pied gauche se fait entendre avec un instant de retard sur le passage du feu au vert. Une voiture de la télévision prenant un peu de vitesse décrit un arc de cercle sur la gauche, coupant le couloir de bus, pour s'engager dans la rue de l'Université afin de rejoindre la rue

Cognac-Jay. En plein élan, la moto heurte de plein fouet l'aile avant gauche du break Peugeot au pied de l'entrée de Petrossian. Sous le choc, le motard éjecté de sa monture mécanique effectue un saut périlleux au-dessus de la voiture pour venir s'écraser sur le trottoir, tête la première entre un poteau de sens interdit et un réverbère.

Quelques minutes après, la sirène du SAMU, puis celle plus discrète d'un car de police dont descendent tranquillement des agents en tenue. Hommes blancs et bleus s'affairent. Diagnostic : décès du motard, le cou brisé par un premier choc de la tête contre le pavé. Avis en est donné au brigadier de police. La victime est évacuée avec mille précautions désormais inutiles vers l'hôpital Laennec pour la constatation médico-légale, tandis que les policiers dévient la circulation après dégagement de la chaussée pour le constat d'usage. Des mesures à différentes distances utiles sont prises et reportées sur le rapport de police. Les noms de trois témoins sont notés et le conducteur du break Peugeot interrogé fait valoir que le motard se trouvait nettement à gauche de la borne dans le couloir de bus. Dans ces conditions, le conducteur croyait que celui-ci s'engageait aussi dans la rue de l'Université. C'est avec stupéfaction qu'accomplissant son virage, il a vu la moto accélérer brutalement vers la droite et se précipiter sur son aile gauche. L'ensemble de l'accident n'a pas duré trois secondes. Les témoins n'ont perçu que le choc sans en comprendre les causes. Moto couchée et voiture défoncée sont immobilisées près du trottoir faisant l'angle du boulevard et de la rue. Test d'alcoolémie du conducteur : négatif. À l'hôpital, l'interne de service constate le décès causé par un traumatisme crânien accompagné de la rupture des vertèbres cervicales. D'après ses papiers, la victime est un journaliste de 50 ans,

Jacques Michel, marié, père de deux enfants de 18 et 19 ans, demeurant boulevard du Montparnasse et travaillant dans un journal du matin. Le directeur de la rédaction est prévenu par l'hôpital.

Bob abandonne tout, confie le bouclage à son adjoint et part avertir Martine, l'épouse qu'il connaît depuis quinze ans. Martine, 46 ans, travaille dans un cabinet d'architecture important dont elle assure avec deux assistantes la gestion juridique et sociale. Sorte de femme de confiance du patron, responsable de quelques grands travaux du septennat, elle a fréquenté d'abord l'École des beaux-arts qu'elle a abandonnée pour se marier, puis a courageusement conquis une licence en droit dès que ses deux enfants se sont retrouvés dans l'enseignement primaire. Bob se dirige en taxi vers l'agence de Martine, boulevard de Port-Royal, en face de l'hôpital Cochin. Arrivé à l'agence, il va vers le bureau de Martine qui, le voyant pâle, nerveux et surtout débarquer à l'improviste, l'interroge :

– Qu'est-ce qui se passe ?

– Il y a eu un accident, répond Bob.

– Jacques ? dit Martine en portant la main à sa bouche.

– Oui, fait Bob.

– Grave ?

– Il est mort.

Martine s'affale sur sa chaise. Elle n'a jamais aimé les motos. Elle était un peu jalouse depuis que Jacques avait adopté ce moyen de transport. Elle trouvait qu'il y prenait un plaisir exagéré, comme s'il avait besoin de quelque chose en dehors d'elle et qui soit dangereux. Elle avait peur pour lui, surtout depuis ces trois dernières années où elle constatait la diminution de ses réflexes avec l'âge. Tous ses amis lui parlaient de Jacques comme de « ton vieux motard ». Les enfants trouvaient cela « marrant », ne rêvaient que de surmonter le veto maternel et de s'acheter une « aussi belle moto que papa ». Mais à chaque fois qu'elle voyait sur le périphérique les sinistres couvertures d'aluminium recouvrant des corps casqués gisant à côté d'éclairs tournoyants de lampes bleues, elle avait peur et s'identifiait à la femme qui allait apprendre un instant plus tard l'accident. Toutes ces images se mêlent maintenant dans sa tête devant un Bob qui n'en mène pas large.

– Viens avec moi, je t'emmène à Laennec.

Taxi à nouveau. Morgue de l'hôpital. Une succession de problèmes à résoudre. Faut-il ou non ramener le corps à la maison ? Récupérer les enfants et leur annoncer la nouvelle, leur faire saluer leur père une dernière fois, ensuite charger ses parents et beaux-parents de faire connaître le décès, prendre une entreprise de pompes funèbres, décider d'une cérémonie religieuse, choisir un cercueil, annonces dans *Le Figaro* et *Le Monde,* faire-part adressés à tous les proches : en moins de quarante-huit heures, toutes les tâches sont effectuées.

Jacques Michel, mort à 15 h 30 sur le trottoir du boulevard de La Tour-Maubourg, est enterré au cimetière du Père-Lachaise trois jours plus tard, à 11 heures, après une brève cérémonie à l'église Notre-Dame-des-Champs. Tout le journal est là, dans l'église. Un prêtre dit quelques banalités pompeuses. Chacun défile devant le catafalque en faisant des signes incertains avec un goupillon trempé d'eau bénite, puis signe un registre. Pas de défilé à la sortie, mais seulement au cimetière où se rassemblent les plus intimes des amis et la famille. Martine, Ludovic et Charles supportent à peu près l'épreuve, sans débordements émotionnels exagérés grâce à l'absorption de quelques tranquillisants légers.

Vers 14 heures, Martine remonte dans leur appartement avec les deux garçons, les parents, les beaux-parents, Bob et François, son patron architecte. On se restaure et on ne parle qu'en chuchotant. Le corps est allé directement de l'hôpital au cimetière. De ce fait, la disparition de Jacques ressemble à une sorte de désertion : un mari qui ne serait pas rentré à la maison en y laissant cependant toutes ses affaires, y compris son rasoir et ses pantoufles. Les amis et la famille partis, le rangement fait, la machine à laver la vaisselle tourne et ronronne comme d'habitude, la vie continue. Un grand dimanche vide devant soi et, lundi, pourquoi ne pas retourner à l'agence ? Les deux garçons iront comme d'habitude au lycée Henri-IV où ils sont en hypokhâgne et khâgne.

Tout s'est passé si brutalement : Martine est perdue. Les occupations du deuil sont presque terminées. Il restera les formalités d'assurances et les réponses aux lettres de condoléances. Jadis on portait le deuil. Les femmes s'habillaient de noir, la photo du défunt s'ornait d'un crêpe qui barrait aussi le revers du veston des hommes. Martine se souvient de la mort de son grand-père, né en 1882, mort à 80 ans en 1962. Elle était alors plongée pour un devoir de français dans Madeleine de Scudéry et sa carte du Tendre qui était devenue sa marotte. L'objectif à atteindre dans la *Clélie* est le « Tendre », terme de la course après mille obstacles et dangers vers ce paradis de l'amour précieux. Pour l'occasion, elle devenait une carte du deuil dont le but était l'intégration de son grand-père mort dans son cœur à côté de tous ceux qui, depuis qu'elle était toute petite, avaient compté pour elle bien qu'ayant disparu. La carte du Tendre invitait à suivre les rivières, « inclination »,

« estime », « reconnaissance ». Transposés sur la carte du deuil, voici le ruisseau rouge et brûlant de la « peine », le large fleuve silencieux du « chagrin » sur lequel naviguer sans sombrer là aussi dans le lac d'« indifférence », afin de parvenir à l'estuaire de la « nostalgie ». À chaque étape de ce deuil familial, Martine décidait du changement de rivière ponctué de messes, dont la dernière suivie d'un solide repas marquait à tous égards la reprise d'appétit des vivants. Pendant ce temps, les autres étaient placés en spectateurs actifs, encourageant du bord de chaque rivière l'endeuillée à son passage. Trente-quatre ans de cela déjà. Tous ces signes s'étaient effeuillés comme des arbres atteints par une maladie. Martine porte les traces d'une culture antérieure à la guerre de 14, celle qui a été capable d'éponger jusqu'à la nausée des millions de deuils. Indigestion à l'origine aussi de la désertion des églises qu'elle-même ne fréquente pas plus que ses enfants. Jacques et elle se sont pourtant bien mariés dans cette même église Notre-Dame-des-Champs, voici bientôt vingt et un ans. Mai 68 était passé, balayant beaucoup de rites, non seulement religieux mais laïcs. Elle a voulu pourtant la robe blanche et les orgues. Ses amis de l'École des beaux-arts ont trouvé ça kitsch. Ils lui ont fait la surprise d'une haie d'honneur composée par la célèbre fanfare de l'École nommée Jean Malaquais, du nom de la rue de cette vénérable institution. Et devant les promeneurs ébahis, tous deux, ravis, reçurent les jets de riz au son de « Tararaboum ça y est », grand morceau du répertoire. Pour la première fois, Martine pleure en revoyant les images de mariage et de deuil qui se télescopent sur le petit parvis de l'église. Jacques, venant d'HEC, plongea d'abord dans la publicité, ce qui le jour de son mariage lui donnait un enthousiasme et un piquant propres à ceux qui sont toujours capables de rendre la vie drôle par une simple formule de vendeur. Pendant ces vingt-cinq ans, ils avaient vécu gaiement. Jacques obliqua vite vers le journalisme économique tout en gardant son originalité première, dont l'amour de la moto était l'une des facettes. Martine, à sa manière, faisait de l'architecture comme elle en avait rêvé, bien que ne tenant ni crayon ni compas. Dès leur naissance, en 1976 et 1977, Ludovic et Charles adoptèrent la bonne humeur et l'appétit de vivre de leurs parents. Enfants épanouis, élèves brillants, ils étaient maintenant en classe préparatoire à Henri-IV. En somme, une famille qui fonctionnait comme une montre suisse. Il ne restait que la mort pour la troubler.

Ludovic et Charles n'avaient jamais vu de mort. Leur père était le premier. Ils avaient observé son visage intact à la morgue de l'hôpital. Pas de sang, pas de blessure, pas de traumatisme visible, une disparition presque abstraite, au point qu'ils percevaient mal la nécessité de jeter dans un trou ce corps soigneusement préparé par l'employé des pompes funèbres, et habillé de son éternel barbour. Quant à Martine, aucun des repères qui avaient entouré l'enterrement de son grand-père ne se trouve plus là, une fois accompli le bref parcours du combattant de la veuve. « Mais il n'existe plus de public pour regarder les veuves. Je ne suis rien d'autre, pense-t-elle, que Martine-qui-a-perdu-son-mari. Aurais-je divorcé, me regarderait-on différemment ? D'ailleurs, aurais-je divorcé ? » Depuis trois ans quelque chose grippait dans cette mécanique bien huilée. Un tout petit saignement interne que la disparition de Jacques venait mettre en exergue. Martine se sent brutalement saisie d'une angoisse qui submerge celle de l'enterrement. La perte brutale de Jacques vient ironiquement la punir, comme si le fait de n'avoir pas réussi à inventer un mode de relation nouveau avec son mari avait contraint le destin à le lui ôter pour lui apprendre quelque chose !

Ludovic et Charles bachotent difficilement un oral pour le lundi. Martine se reprend en regardant la Cinquième. Pas de chance, voici des images d'archives de l'INA : des actualités des années 68. Elle abandonne et pleure devant ses enfants, puis passe le film de son mariage. Les deux fils regardent en silence.

Le dimanche suivant, Martine propose à ses fils d'aller se recueillir sur la tombe de leur père puis de déjeuner au restaurant du bois de Boulogne, la Grande Cascade, que son mari avait choisi pour lui demander de l'épouser. Aujourd'hui elle y parlerait de l'avenir avec ses fils. Un dimanche frais, lumineux, claquant comme un fouet propre sur le chagrin. Un de ces dimanches gelés qui met de côté la douleur du deuil par l'éclat de la lumière et la morsure du froid.

Martine est en tailleur noir croisé ; ses deux fils en blazer noir, chemise blanche, semblent lui donner une réplique si précise que l'absence de père en paraît soulignée au point que le maître d'hôtel commet la gaffe de mettre un quatrième couvert. Méchamment Martine lui dit : « Non, mon mari n'est pas en train de garer la voiture. Il est mort. » Ludovic et Charles apprécient là encore leur mère pour avoir fait un mot dans une situation pareille. Au service du champagne, Martine prend l'initiative un peu forcée d'annoncer l'ordre du jour, comme une secrétaire de conseil d'administration. Quelle attitude prendre par rapport aux autres ? Elle propose d'éviter au maximum les décharges émotionnelles handicapantes. Mieux vaut faire savoir autour d'eux qu'ils ne souhaitent pas qu'on « en parle ». Il faut continuer à vivre.

– Côté matériel, grâce au journal, dit Martine, votre

père disposait d'une assurance-vie qui nous laisse 1 million de francs. Avec l'épargne modeste que nous avons constituée et nos actifs familiaux, j'ai un capital de 1,8 million de francs qui nous permet de voir venir. Je vais augmenter mon travail à l'agence. J'ai de quoi vous permettre de faire des études aussi longues que vous le souhaiterez, tout en payant le loyer et l'ensemble des charges. Donc, nous n'avons pas de problèmes matériels.

– Nous n'avons peut-être pas de problèmes matériels, déclare soudain Charles qui, depuis l'annonce du décès de son père le jeudi après-midi, est resté muet comme son frère, mais nous avons un problème moral.

– Qu'entends-tu par là ? répond Martine.

– Papa n'est pas mort tout seul, comme cela, par hasard. Il faut trouver les responsables de cet accident. Par égard pour sa mémoire. Nous avons le devoir de tout faire pour y parvenir.

Martine n'a pas pensé à cet aspect des événements, pas plus que Ludovic qui, cependant, est tout à coup soulagé d'entendre son frère dire les mots qui manquaient. Tant que l'auteur de la mort du père ne serait pas retrouvé, cette mort ne serait pas effective. S'ils retrouvaient celui-ci, Jacques pourrait d'une certaine manière ne pas disparaître comme une volute de fumée. Martine, un peu secouée, demande à Charles comment procéder.

– J'ai un copain dont le père est avocat. Il me donnera le nom d'un spécialiste en matière d'accidents. Je suis sûr d'avoir un bon conseil. Je ne veux pas faire ça pour l'argent, mais pour être sûr que rien ne sera laissé au hasard et que nous saurons la vérité sur ce qui s'est passé.

– Et que crois-tu qu'il se soit passé ?

– Il faudrait connaître le constat des policiers. Mais

a priori, je suis surpris par deux choses : papa avait 50 ans et vingt ans de moto derrière lui. Je suis étonné qu'il ait pu commettre une faute de pilotage. D'autre part, je ne comprends pas comment il a pu mourir dans un choc survenu à si petite vitesse. Cet accident n'est pas clair.

Martine et Ludovic opinent. La disparition si brutale de son père a littéralement « interdit » Charles. Depuis trois jours rien ne pénètre dans sa conscience. Non seulement il ne peut plus rien apprendre, mais plus profondément, rien de ce qui se passe autour de lui ne retient son attention. Cette mort, telle une explosion, a consumé l'air de ce grand théâtre intérieur dans lequel chacun s'installe dans des représentations de soi-même au milieu des autres. Tout son paysage interne est vitrifié. Il a souvent pensé à la mort lointaine de son père mais comme une sorte de processus naturel. En ricanant parfois, Jacques disait : « Quand je serai trop vieux, mes deux fils m'aideront à mourir, me mangeront et se cureront les dents avec mes os. » Ludovic et Charles, quand ils discutaient avec leur père et croyaient triompher de lui par leur rhétorique, s'amusaient à sortir des cure-dents et à se regarder en riant. Mais sa disparition brutale, prématurée, renversant complètement cet humour macabre et placide, les transforme en usurpateurs comme s'ils avaient tué eux-mêmes leur père. Ce projet de poursuite judiciaire les remet dans le présent. Tous les trois peuvent enfin se parler. D'abord, la recherche d'un responsable chasse dans leur tête le fantasme de leur propre culpabilité. Ensuite, cet « événement » dépourvu de sens se place soudainement dans une perspective. Enfin, envisager la lutte pour obtenir la « vérité » permet à chacun mentalement de se remettre en mouvement ; Martine, quant à elle, retrouve sa carte du Tendre et du deuil. À défaut de toutes ces étapes que la société et la religion apportaient jadis et dont elle avait pu mesurer la valeur au moment de la mort de son grand-père, le procès serait peut-être l'occasion laïque d'éponger doucement le chagrin par étapes successives. Et puis confusément, pour Martine, faire « quelque chose » *post mortem* est un soulagement, permettant de remonter le temps, de revoir les images du film de sa vie conjugale et de gommer l'imperfection avant que le mot « fin » ne s'inscrive. Là aussi cette perspective de l'utilisation de la justice lui donne l'impression de pouvoir ôter cette épine de culpabilité plantée dans sa conscience depuis la tragédie. Les paroles de Charles remettent la machine familiale en mouvement, lui redonnent un projet, une respiration, mais aussi une distance par rapport au mort qui leur permet de le pleurer plus à l'aise.

Lundi matin, Martine téléphone à Me Gandot, l'avocat de l'agence, grand ponte du droit de la construction, pour lui demander le nom d'un bon professionnel du droit des accidents. À sa grande surprise, celui-ci lui répond qu'il n'en connaît pas. Elle est terriblement déçue, comme si déjà sa tragédie n'intéressait pas suffisamment l'institution judiciaire en la personne du premier avocat interrogé. Attentif à la musique triste de sa voix, l'avocat lui dit cependant :

– Chère amie, le divorce et les accidents de la circulation sont deux domaines particuliers qui font vivre beaucoup d'avocats. Ce sont deux spécialités faussement simples, qui, de ce fait, ne rassemblent pas toujours les plus compétents d'entre nous, précisément parce que ce sont deux domaines dont le traitement engage bien davantage que la technique.

Faites très attention. Vous êtes dans un état de stress majeur. J'entends à votre voix que vous placez peut-être des espoirs exagérés dans ce que peut vous apporter un procès. Vous êtes déçue que je ne vous apporte pas immédiatement un concours en vous donnant un nom sérieux. Faites-moi confiance. Je vais réfléchir, interroger le bâtonnier et vous renseignerai aussitôt. Sachez qu'en tout état de cause, bien que ma spécialité soit celle que vous connaissez, je suis toujours prêt à discuter avec vous, à vous aider et à vous dire ce que je pense de ce que vous faites.

Martine raccroche, perplexe. Le peu d'enthousiasme de Me Gandot serait-il davantage qu'un simple scrupule professionnel ? Rentrant le soir chez elle, Charles lui annonce qu'il a trouvé un avocat grâce au père de son camarade : Me Kaspart. Martine lui raconte sa conversation avec Gandot et se range au choix de son fils dont elle a ressenti le léger agacement à l'idée qu'il pouvait exister entre lui et elle une sorte de compétition. Il est vrai que, choisi par son fils grâce à son milieu, l'avocat portera cette affaire différemment de celle d'un professionnel choisi par sa mère. Martine n'a pas voulu lutter. L'idée de la procédure vient de Charles, laissons-le faire. Décidément le choix d'un avocat n'est pas simple. « Au fond, pourquoi pas deux avocats ? » se demande-t-elle. L'idée est aussitôt rejetée. « Pourquoi ne pas faire confiance à un seul ? Et puis quel drôle de débat intérieur ! Mon désir ne serait-il pas le même que celui de Charles : savoir la vérité, trouver le responsable de cet accident, voilà bien l'essentiel. Mais quand même, comme chef du reste de la famille, ne serait-ce pas à moi de choisir mon porte-parole ? C'est vrai. Mais cette parole est la même, donc où est le problème ? Sans doute Charles a-t-il lui aussi le sentiment d'être le chef de famille. Après tout si cela le soulage, s'il s'en ressent ainsi davantage héritier, pourquoi ne pas le laisser faire ? » Lui revient l'écho de ces formules bien charpentées de Jacques : « Proverbe arabe : un homme n'est jamais vraiment rassasié qu'une fois assis à la table de son père. » Sans doute a-t-il raison, ce fils, de prendre son deuil par ce bout-là et d'entraîner son frère dans le processus. Mais moi ? Je ne peux pas refuser. Quelques jours plus tard, ils se rendent tous les trois au bureau de l'avocat.

C'est un lieu sans originalité particulière, dans un de ces immeubles classiques de l'avenue Kléber qui regroupe une multiplicité de ce que l'on appelle des cabinets groupés. Kaspart travaille avec deux collaborateurs dans un grand appartement de 500 m² occupés par trois autres avocats ayant chacun leurs propres collaborateurs. Une ruche dans laquelle évoluent vingt personnes, secrétaires comprises. Kaspart est spécialisé dans le domaine des accidents petits et gros. C'est un métier qui n'est pas très compliqué sur le plan technique et qui rapporte un confortable revenu puisque, en général, l'avocat qui gagne son procès prend autour de 10 % de la somme que la compagnie d'assurances finit par payer de gré ou de force, par transaction ou après jugement du tribunal. Ce type d'activité permet l'exercice individuel même s'il s'accomplit dans un groupement de moyens comme dans le cas présent. L'aisance, ajoutée à une certaine disponibilité intellectuelle, permet à Mᵉ Kaspart de mener un travail de réflexion encore confidentiel sur la justice en s'exprimant de temps à autre dans des revues de sociétés savantes.

L'avocat se fait expliquer l'affaire, prend des notes rapides et précises sur les lieux, les circonstances de l'accident, les âges de la victime, de Martine et des deux enfants, ses ayants droit. Il demande leur niveau d'études et leurs perspectives de carrière, ainsi que la durée de la nécessaire prise en charge familiale de leur entretien. En vingt minutes, l'affaire Michel est codifiée dans le système juridique. Charles soulève les deux questions qui lui paraissent essentielles :

– Pourquoi ce choc ? Et pourquoi une blessure mortelle à si petite vitesse ?

– Vous pensez au casque ? dit Kaspart.

– Peut-être, répond Charles.

– L'avez-vous conservé ?

– Oui.

– Apportez-le-moi. Je le ferai examiner par un spécialiste pour voir d'abord s'il est aux normes et mis sur le marché avec les autorisations nécessaires. Il faudra aussi examiner sa déformation pour savoir s'il s'est comporté « normalement » et s'il a pu avoir un rôle dans les blessures cervicales et le traumatisme crânien mortels. Avez-vous fait faire une autopsie du corps ?

– Non, pourquoi ?

– Si nous devons plaider que la mort a pu être causée par une défaillance du casque, cet examen médico-légal aurait pu être utile. Mais pour l'instant, ces commentaires sont superflus. Je vais me procurer le rapport de police au parquet, c'est-à-dire auprès des magistrats qui définissent les sujets sur lesquels le juge d'instruction doit intervenir, faire des investigations et des mises en examen. Ils dirigent en principe l'activité de la police judiciaire. À ce titre, s'agissant d'un accident mortel susceptible d'avoir été causé par une infraction (notamment au code de la route), la police a effectué un constat des lieux puis un rapport qui a été communiqué au parquet de Paris. C'est ce rapport-là que je dois demander au procureur. C'est ce même rapport qui peut déterminer le procureur, dans quelques jours, à décider d'ouvrir une information confiée à un juge d'instruction ou, si l'affaire est simple, à citer directement les responsables de l'accident devant le tribunal correctionnel.

– Citer directement ?

– Cela veut dire envoyer directement les personnes soupçonnées devant le tribunal correctionnel pour être jugées. Mais si le parquet remarque des problèmes compliqués, susceptibles seulement après exploration d'entraîner la découverte d'une infraction, on prend le circuit long, avec la désignation d'un juge d'instruction. Par exemple, les blessures mortelles ont-elles été aggravées par un casque hors normes ou défaillant ? Pour le savoir, le juge procède à des investigations dans le cadre d'une information pour homicide involontaire. Il fait examiner le casque par un expert, interroge le fabricant, le vendeur, l'administration, pour savoir si une imprudence, une négligence ou une absence de respect des règlements a été commise. S'il existe des présomptions suffisantes, il met en examen les personnes soupçonnées. Si, après l'instruction, il existe des charges suffisantes contre les personnes mises en examen, le juge peut les renvoyer devant le tribunal correctionnel afin d'être jugées. Ce qui vaut pour le casque vaut également pour la recherche de l'infraction au code de la route qui aurait pu être commise par le conducteur de la voiture qui a coupé la route à M. Michel.

– Et quelle est la peine infligée au coupable dans une affaire comme celle-là ?

– Le nouveau code pénal l'a aggravée. S'il y a mise en danger délibérée de la vie d'autrui, cela peut aller jusqu'à cinq ans. Dans un cas comme le vôtre, c'est généralement une peine avec sursis qui est prononcée, sauf cas particulier comme l'alcoolémie exagérée d'un conducteur ou fraudes particulièrement graves sur la fabrication du casque.

– Mais qu'est-ce qui se passe, demande Martine, si le procureur décide de ne rien faire ?

– On ne parle plus de l'affaire, dit Kaspart, sauf si les victimes, c'est-à-dire vous-mêmes, décidez de porter plainte avec constitution de partie civile pour obliger le parquet, malgré son avis contraire, à ouvrir une information.

– Vous voulez dire qu'on peut passer par-dessus le parquet ?

– Absolument.

– C'est incroyable. Mais pourquoi ?

– C'est une particularité française, répond l'avocat. Elle permet à chaque particulier de contourner l'inertie de l'accusation qui a longtemps été soumise au pouvoir politique. C'est en quelque sorte une garantie donnée à chaque citoyen d'avoir accès à la justice. Mais, ajoute Me Kaspart, vous n'êtes pas du tout obligés d'aller au pénal. Vous pouvez rester au civil.

– C'est-à-dire ?

– Lorsque j'aurai les éléments contenus dans le rapport de police et découvert des fautes ayant pu contribuer au décès de votre père et mari, vous pourrez soit déclencher les poursuites pénales dans les conditions déjà expliquées, soit saisir le tribunal de grande instance civil pour obtenir réparation des dommages causés par la faute. Dans un cas, le tribunal prononcera une peine s'il est convaincu de la faute des personnes responsables de l'accident et il vous donnera des dommages et intérêts en réparation. Dans l'autre cas, le tribunal civil ne s'occupe que des dommages et intérêts. En d'autres termes, c'est un duel à deux alors que dans le premier cas c'est un duel à trois avec le parquet, les victimes d'un côté, et la personne poursuivie de l'autre.

– Qu'est-ce qu'il faut choisir ? demande Martine.

– C'est prématuré de le dire. Quand j'ai commencé

ce métier, les avocats conseillaient de ne pas poursuivre les affaires d'accident au pénal lorsque le parquet n'en prenait pas l'initiative. Par prudence. Car ils pensaient que le tribunal correctionnel pourrait être influencé par l'absence d'action du parquet. Une relaxe était toujours à craindre, avec l'obligation ensuite pour les victimes de reprendre leur procès au civil, quand c'était possible, après avoir perdu beaucoup de temps. Mais aujourd'hui la situation a changé. Les victimes vont de plus en plus directement au pénal parce que les tribunaux correctionnels sont de plus en plus désireux de les satisfaire. Tout devient pénal. Et puis les éventuels responsables sont davantage traumatisés par un procès pénal que par un procès civil. Donc, avant d'arriver au tribunal, parfois en cours d'instruction, ils font pression sur les compagnies d'assurances pour transiger dans de meilleures conditions avec les victimes. Les poursuites ne sont pas pour autant abandonnées car le juge d'instruction n'est pas du tout obligé de rendre un non-lieu si la victime se désiste après avoir été indemnisée. L'action du parquet peut survivre à la fin de l'action des victimes. Quand on a lâché les chiens, on ne peut plus les rattraper.

Cette comparaison avec les chiens procure à Martine quelque malaise. Elle aurait plus volontiers examiné tranquillement les possibilités d'arrangement avec les compagnies d'assurances si l'avocat pensait qu'il y avait « quelque chose » à faire. Le déploiement de tout cet arsenal guerrier, en fait, ne lui plaît pas du tout. La simple conversation téléphonique avec Me Gandot l'a douchée moralement. Cependant, très insidieusement, revient un fort sentiment de culpabilité à l'égard du disparu : mort juste au moment le plus délicat de leur longue relation conjugale. Le sentiment de n'avoir pas « fait ce qu'il fallait » au moment où il en était encore temps la pousse dans le champ clos judiciaire comme pour éviter de « louper le coche » une deuxième fois. Et puis, qui sait ! elle en apprendrait peut-être davantage sur son mari avec ce prétexte dans les mains. Discuter de ce procès avec les enfants, c'est maintenir vivant son souvenir. Essayer de donner un sens à cet accident, à cette mort, en en recherchant les responsables, est sans doute un moyen nécessaire pour différer un deuil survenu trop tôt pour ses enfants et pour elle.

M^e^ Kaspart termine son exposé en indiquant les « prix » en cas de responsabilités reconnues. Compte tenu des études des enfants à terminer, de l'âge de Martine et des revenus professionnels divers de Jacques (500 000 francs par an), la famille pourrait recevoir en tout une somme de plus de 2,5 millions de francs pour la réparation du préjudice moral et patrimonial. Ajouté au 1,5 million de francs déjà versé par l'assurance-vie, le total devient très conséquent.

M^e^ Kaspart écrit le jour même au procureur de la République de Paris pour lui demander copie du rapport de police. Quinze jours s'écoulent pendant lesquels fermentent chez chacun des membres de la famille toutes les paroles de l'avocat qui sont autant de dialogues avec les traces du disparu, telles les cartes du joueur « mort » au bridge. Pendant ces quinze jours, Ludovic et Charles parlent entre eux de l'accident comme s'ils l'avaient vécu à côté de ce père disparu qui, de ce fait, ne s'est pas complètement évanoui. Dans leurs esprits de futurs normaliens habitués à la gymnastique intellectuelle, les nouveaux concepts de « civil » et « pénal » sont longuement manipulés, triturés. Le tête-à-tête civil avec l'éventuel auteur de l'accident ne les intéresse pas véritablement. Charles théorise sa décision devant son frère cadet :

– Tu vois, la loi dans l'affaire civile n'a pas la même

importance. Elle n'est là que pour effectuer un simple arbitrage entre deux personnes : l'une qui aurait commis une faute à l'égard de la victime, et la victime demandant réparation à l'auteur de l'accident. Le reste des hommes, le reste du monde n'est pas concerné. Nous touchons nos dommages et intérêts, et pfuit ! nous partons contents de garder en poche l'argent de la mort de notre père. Comme si cet accident n'avait pas d'importance pour les autres. Tandis qu'au pénal, c'est la société des hommes, dont nous faisons partie, qui condamne l'auteur de la mort de notre père et lui inflige une peine. Nous sortons du simple droit privé. Nous entrons dans la socialisation. La mort de papa sert à quelque chose. Elle prend un sens pour les autres et donc pour nous. Pour accomplir notre devoir envers notre père, il faut aller jusqu'au bout de ce que la loi nous permet.

Ces propos entendus par Martine lui paraissent un peu exaltés au moment de pénétrer une deuxième fois dans le cabinet de Me Kaspart, mais en même temps, la capacité d'abstraction de ses fils l'étonne toujours, ainsi que leur faculté à donner un sens aux événements, fût-ce à cette tragédie.

Me Kaspart, un peu solennel, sort de son dossier un rapport de six pages avec des croquis et des cases remplies de croix comme un questionnaire à choix multiples, et en distribue un exemplaire à chacun.

– Ce n'est pas très bon, dit-il, en regrettant aussitôt d'avoir prononcé cette phrase « professionnelle » que les avocats utilisent, non point pour porter un jugement moral sur une situation, mais une appréciation technique sur les chances de succès d'un procès.

Les deux fils prennent un air buté et l'avocat commence l'exercice difficile consistant, comme dans un jeu de Mikado, à soulever des bribes d'une vérité complexe sans heurter la sensibilité de ses interlocuteurs.

– Voilà le gros du problème : d'après la place de la moto, les brèves traces de freinage et la déclaration du conducteur du break Peugeot, votre père est passé dans le couloir d'autobus, carrément à gauche de la borne surmontée d'un feu rouge divisant la chaussée. Il aurait donc pris la voie d'autobus à contresens, ce qui constitue une infraction. Certes, le conducteur du break lui a coupé la route, mais il a probablement cru en voyant votre père à gauche du plot qu'il allait s'engager lui aussi dans la rue de l'Université. Donc le comportement du conducteur risque de ne pas être considéré par les tribunaux comme coupable, l'imprudence étant davantage du côté de votre père que du sien.

À mesure qu'il parle, Kaspart décide de cesser de prendre des gants pour expliquer la vérité : il ne veut pas se retrouver dans cinq ans avec un dossier ingérable et des clients furieux d'un diagnostic incorrectement établi et transmis au départ. Il choisit la méthode brutale et précise. Pour Martine, l'explication de Kaspart confirme les prévisions de Me Gandot.

– Donc, maître, il n'y a pas d'espoir de gagner un procès ?

– Au pénal, non. Le comportement du conducteur du break ne peut entrer dans le cadre de la définition de l'imprudence pour l'infraction d'homicide involontaire. Au civil, vous avez peut-être un peu plus de chances d'obtenir un partage des responsabilités, disons trois quarts-un quart.

– Mais, dit Ludovic, même si le conducteur est retenu pour un quart de responsabilité, c'est parce que le juge aura bien retenu qu'il a commis une faute, donc une imprudence.

– Oui ; le juge pénal a pour rôle de condamner à

une peine, donc il a tendance à se montrer plus restrictif et à moins retenir une responsabilité lorsqu'elle n'est pas nette. Il est vrai aussi que je viens de voir une décision dans une affaire de naufrage dans laquelle la cour d'appel a décidé que le constructeur du navire n'était responsable, de par sa petite faute, que de 10 % du sinistre, alors que les victimes se sont vu attribuer 90 % de la responsabilité par leur comportement suicidaire.

– Donc vous êtes d'accord, dit Ludovic, même une responsabilité partielle peut engendrer une condamnation pénale.

– Oui, dit Kaspart, un peu ébloui par la virtuosité du jeune homme qui, lui donnant le sentiment d'être compris, lui fait pousser la confidence juridique un peu plus loin. C'est d'autant plus vrai qu'une jurisprudence ancienne de la Cour de cassation, qui vient d'être rappelée par le tribunal de Bastia, affirme l'équivalence entre la faute civile et la faute pénale en matière d'homicide involontaire.

– Alors, dit Ludovic, qu'est-ce qui nous empêche de poursuivre l'auteur de l'accident puisque faute civile égale faute pénale, et que la jurisprudence accepte une faute pénale partielle ?

– En théorie rien, en pratique mon expérience. Il s'agit d'une affaire qui ne concerne qu'une victime, votre père. Si nous nous trouvions comme dans cette affaire de naufrage devant une tragédie endeuillant la communauté des marins et le département tout entier, nous pourrions avec succès solliciter le juge et lui demander une acrobatie. Mieux encore, devant une tragédie comme celle de Furiani, les juges sont en quelque sorte pris en otages par la foule et, nous avons pu le voir, ils sont presque « forcés » de condamner. Mais dans l'affaire du décès de votre père, rien de tel. Il s'agit d'une affaire individuelle et non pas collective. Le juge refusera l'acrobatie. Si vous allez au pénal, il aura tendance à dire qu'il n'y a pas de faute du conducteur, que votre père a commis une infraction en circulant à contresens dans le couloir d'autobus, et qu'il est lui-même la cause de l'accident. Et puis le parquet n'a pas l'intention de poursuivre. En revanche, au civil, sorti de l'obligation de condamner à une peine, le tribunal pourra plus facilement décortiquer les responsabilités. Pour résumer, lorsque les obligations de l'ordre public l'y contraignent, le juge, pour ne pas décevoir les victimes, accepte parfois de jeter l'opprobre sur un comportement humain imparfait, ou erroné, mais qui a généré des conséquences tragiques. Lorsque l'ordre public n'est pas concerné, il ne se sert pas du glaive, seulement de la balance.

Complètement perdue devant cette démonstration de cuisine judiciaire et désireuse d'en finir, Martine interroge Kaspart :

– Et le casque ?

– Qu'est-ce que vous reprochez au casque ? demande Me Kaspart.

Ludovic prend le relais :

– Trouvez-vous normal qu'à si faible vitesse, le casque se soit fendu et que notre père soit mort après un simple saut périlleux au-dessus du break ? Papa était très fier de son casque. Mais je crois qu'il n'était pas homologué en France. Il l'avait acheté chez son vendeur habituel. Papa le trouvait très beau, avec son nouveau système de fermeture. Son vendeur lui avait dit que l'autorisation de mise sur le marché était une question de semaines. C'était il y a deux mois. Je vous l'ai apporté.

Ludovic sort d'un sac en plastique un casque blanc largement fendu sur sa partie supérieure, du haut de la visière jusqu'au centre de la sphère, sans courroie jugulaire et nanti de deux mâchoires s'emboîtant l'une dans l'autre au-dessous du menton de son porteur.

– Comme je vous l'ai dit lors de notre première rencontre, reprend l'avocat, je suis d'accord pour faire examiner ce casque par un expert, ou mieux encore le fournir comme pièce à conviction au juge si vous décidez de porter plainte, et c'est lui qui fera faire l'expertise.

– Je suis passé chez le vendeur aujourd'hui avec Charles, sans lui dire que papa était mort d'un accident, et sous un prétexte quelconque, je lui ai demandé de vérifier si le modèle de son casque était aujourd'hui homologué. Il m'a dit que ce n'était pas encore fait, qu'il y avait des « problèmes », mais que de toute façon il était en vente sur le marché américain. Maître, si je comprends bien vos explications, le comportement du conducteur du break n'est peut-être pas intéressant pour un juge, mais le comportement d'une société d'import-export qui met sur le marché un casque non homologué, voilà quelque chose qui ne concerne pas seulement deux individus, mais peut-être des centaines, voire des milliers.

– À condition, répond M^e^ Kaspart, que ce casque soit pour quelque chose dans la mort de votre père.

– Mais à partir du moment où ce casque est vendu de manière fautive, n'avons-nous pas le moyen de saisir la justice pour lui demander s'il y a une relation de cause à effet entre le rôle du casque dans l'accident et ses conséquences mortelles ?

M^e^ Kaspart a du mal à freiner le flot spéculatif du jeune homme, d'autant plus que celui-ci lui ressert sur le problème du casque tout ce qu'il lui a expliqué sur la difficulté de retenir la faute du conducteur.

– Si je comprends bien, maître, la justice n'est pas la même pour le clampin qui en tue maladroitement un autre en mettant sa voiture en travers du chemin de sa moto, et pour le conducteur de train qui, s'étant gratté le nez au mauvais moment, a provoqué par une malchance extraordinaire la mort de deux cents personnes ?

– Ne caricaturez pas ma pensée, dit Kaspart.

– J'ai plutôt l'impression de la nuancer, poursuit Ludovic. Ce que je comprends, c'est que nous avons plus de chances en attaquant les défauts du casque que le conducteur du break. Si nous pouvons ameuter *Que choisir*, les associations de motards, les journaux, et pour peu que le fabricant du casque soit comme je le pense une filiale d'une grosse boîte, Dupont de Nemours, je crois que nous tenons une affaire susceptible d'indigner l'opinion et de générer une situation qui concerne l'ordre public comme dans votre affaire de naufrage ou d'effondrement de tribune.

– Vous déformez un peu le sens de ce que je vous ai dit. Un naufrage ou un effondrement entraînent nécessairement une grosse émotion publique, tandis qu'avec cette histoire de casque, c'est nous qui nous proposons artificiellement de créer cette émotion par un travail de l'opinion.

– Quelle différence pour le résultat ? Si les juges sont comme vous le dites, ils ne doivent pas faire le détail. Peu importe la cause de l'émotion, si seule l'émotion les détermine. Vous savez, renchérit Charles, je suis en train de lire *L'Amour du censeur* de Pierre Legendre, un psychanalyste agrégé de droit. Ce que vous m'expliquez du juge m'y fait penser tout à coup. Ce n'est plus le peuple qui aime son censeur, mais le censeur qui aime le peuple. Normalement, si les juges sont dans cet état d'esprit, et si l'amour du censeur fonctionne à l'envers, nous gagnerons !

Me Kaspart n'est pas habitué à se faire déborder sur son terrain par un client le reprenant sur les concepts judiciaires et jouant mieux que lui avec eux. D'expérience, il sait tout le danger de lâcher en liberté les fantasmes des justiciables. Peut-être a-t-il été très maladroit en laissant transparaître sa conscience du caractère humain et relatif de la décision de justice devant de jeunes esprits brillants en pleine souffrance de deuil, développant des perspectives un peu maniaques de l'utilisation de la justice. « Sans doute suis-je en train de vieillir, pense-t-il. Jadis, je ne me serais jamais laissé déborder par un jeune homme. Sans doute aussi en ai-je dit trop sur ce que je pense des juges. Il n'a pas tort, ce garçon, avec son image de l'amour du censeur fonctionnant à l'envers. C'est bien ce dont nous souffrons aujourd'hui dans le fonctionnement judiciaire. » Seul le réflexe du praticien lui permet de reprendre en main ses clients :

– Je vois que vous êtes particulièrement motivés pour déposer une plainte. Ce sera difficile d'aboutir pour les raisons juridiques qui sont les suivantes : responsabilité très partielle du conducteur du break Peugeot dans l'accident à cause de l'infraction et de l'imprudence commises par votre père ; difficulté de démontrer la relation de cause à effet entre l'absence d'homologation du casque et le décès ; difficulté de faire remonter les responsabilités vers le fabricant au-delà du vendeur, sauf à démontrer des instructions précises de mise sur le marché malgré l'absence d'homologation. Je persiste à penser que vous feriez mieux d'entreprendre une action civile dans ces circonstances, mais je comprends votre souci de choisir la voie pénale. Son avantage sera, si nous déposons une plainte avec constitution de partie civile, de disposer d'un juge d'instruction qui pourra, sur votre demande, se livrer à des investigations que nous aurions du mal à effectuer nous-mêmes. La plainte sera prête la semaine prochaine.

Huit jours plus tard, Martine et ses deux fils reçoivent le projet suivant :

Monsieur le doyen des juges d'instruction de Paris,

Martine Michel, née Jeandamme le 17 mars 1949 à Paris,
Charles Michel, né le 21 janvier 1976 à Paris,
Ludovic Michel, né le 14 février 1977 à Paris,
demeurant ensemble 147, bd du Montparnasse, à Paris 14e
et élisant domicile au cabinet de Me Kaspart, avocat au barreau de Paris, 27, avenue Kléber, Paris 16e,
ont l'honneur de vous exposer :

Que leur mari et père, Jacques Michel, est décédé à l'âge de 50 ans à la suite d'un accident de la circulation à l'angle de la rue de l'Université et du boulevard La Tour-Maubourg le 3 janvier 1996, dans les conditions suivantes. Pilotant une motocyclette Kawasaki 1 100, M. Jacques Michel s'arrêta à 15 h 30 au feu rouge marquant l'intersection au carrefour Université-La Tour-Maubourg, face à un couloir d'autobus. Au passage au feu vert, M. Michel démarrait rapidement pour se diriger vers la place de l'Alma lorsqu'une voiture break Peugeot immatriculée 1097 DVB 75 de la télévision française, ayant déjà pris son élan vers le carrefour, lui coupait la route en prenant un virage sur la gauche très brutalement. M. Michel, éjecté de sa moto, passait par-dessus le véhicule et faisait une chute mortelle entre deux poteaux indicateurs sur le trottoir du boulevard devant la vitrine du magasin Petrossian. Les causes de la mort déterminées à l'arrivée du corps à l'hôpital Laennec sont un traumatisme crânien ayant accompagné une rupture des vertèbres cervicales. Il résulte clairement du rapport de police que le conducteur du véhicule Peugeot, par la brutalité et l'imprévisibilité de sa manœuvre en virant à gauche, a commis une imprudence caractérisée qui est à l'origine du décès de M. Michel. Par ailleurs, il résulte que le casque de la victime qui s'est fendu sous le choc n'a pu empêcher un traumatisme mortel. Or, il s'avère que ce casque n'a pas reçu d'homologation en France. Vendu à la victime par un revendeur, ce casque d'origine américaine, fabriqué par la société Motokay, filiale à 100 % de la société Dupont de Nemours, a été importé par la société française Cycléquip et vendu par le détaillant Motofort.

Le décès accidentel de la victime est donc de manière certaine causé par le délit d'imprudence commis par le conducteur du véhicule 1097 DVB 75, les circonstances ayant été aggravées par le fait que la victime portait un casque ne l'ayant à l'évidence pas suffisamment protégé et même ayant aggravé ses blessures. Ce même délit d'imprudence par inobservation des règlements peut être reproché au vendeur du casque et à son importateur qui ont permis l'acquisition sur le marché d'un matériel non homologué.

C'est pourquoi les requérants déposent une plainte entre vos mains en se fondant sur l'article 422 du nouveau code pénal, offrant de consigner entre vos mains toute somme qu'il vous plaira de fixer.

Ludovic et Charles sont un peu déçus par la sécheresse et la brièveté de cette plainte, mais le professionnalisme de la rédaction et l'assurance du ton et du style viennent vite les conforter dans la certitude d'avoir fait un bon choix. Martine suit le mouvement et donne son accord. Signature des trois exemplaires de la plainte, expédition chez M^e^ Kaspart. Attente.

Quelques jours plus tard, ils reçoivent une lettre de l'avocat demandant une provision de 30 000 francs TTC et 6 000 francs sous forme d'un chèque à l'ordre du régisseur du tribunal de grande instance de Paris pour la consignation, somme d'argent destinée à couvrir partie des dépenses de l'appareil judiciaire avant que la personne poursuivie ne soit condamnée, notamment, à les payer.

Un mois plus tard, convocation chez le juge d'instruction. Mme Lucas-Trativey, nouvellement arrivée à Paris après avoir exercé les fonctions de substitut du procureur de la République à Saintes et à Angers, accueille toute la famille et Me Kaspart dans un petit bureau du premier étage de la galerie des juges d'instruction au Palais.

– Madame, messieurs, explique le juge, je vous ai convoqués pour vous demander formellement de confirmer votre plainte, mais aussi pour vous expliquer ce que je peux faire. Votre avocat vous a communiqué le rapport de police après l'accident. C'est un document qui fait foi, que je ne peux discuter, mais seulement compléter en faisant des investigations. La première serait d'entendre les quelques témoins et le conducteur du break. Je pense que cela ne mènera pas à grand-chose. La réalité de l'accident est que M. Michel était sur la gauche du plot de béton supportant le feu rouge et marquant au carrefour la séparation entre le couloir d'autobus à contresens et le reste du boulevard. À l'évidence, le conducteur du break avait un peu d'élan, disposant d'une quinzaine de mètres avant que le feu ne passe au vert. Il a donc fait un virage à gauche très rapidement et brutalement. Mais sa collision avec M. Michel s'est située à un endroit où la moto évoluait en plein milieu de la contre-voie d'autobus, à un endroit où elle n'aurait jamais dû se trouver, donc en infraction au code de la route, et dans une situation pouvant laisser penser au conducteur que le pilote de la moto virerait sur la gauche. Mon expérience des accidents de la circulation me fait penser que dans le meilleur des cas le partage des responsabilités pourrait être d'un cinquième pour le conducteur, quatre cinquièmes pour

M. Michel. Ne croyez-vous pas que, dans un premier temps, votre avocat – dont je connais l'expérience en ce domaine – devrait prendre contact avec la compagnie d'assurances adverse afin d'essayer de trouver un accord ?

– Peut-être, dit Ludovic, mais quid du casque ?

– Le sujet est compliqué, poursuit le juge. Pour que cette affaire tienne, il faudrait que je puisse établir avec certitude le lien entre l'absence d'homologation et le décès. Bien sûr, je peux interroger les responsables de la norme française et leur demander les raisons pour lesquelles le casque n'est pas homologué. Mais ce ne sera pas suffisant. Il faudra ensuite que je désigne des experts en plus d'un spécialiste de médecine légale pour effectuer une autopsie. Il conviendra d'examiner précisément les causes de la mort et de savoir si elle n'a pas été causée par un dysfonctionnement de la protection de la boîte crânienne. Il faudra donc exhumer le corps de M. Michel, et pour cela j'ai besoin de votre accord.

Martine a l'impression de se réveiller d'une longue torpeur en entendant le juge évoquer l'autopsie et l'exhumation du corps de son mari. Tout à coup, la perspective de faire ouvrir le crâne de Jacques pour faire condamner un vendeur de casques lui paraît grotesque. Décidément, la justice ne lui apporte rien de ce qu'elle imaginait. Les propos de Me Gandot lorsque, sur l'impulsion de ses fils, elle cherchait un avocat lui reviennent en mémoire : « J'entends à votre voix que vous placez peut-être des espoirs exagérés dans ce que peut vous apporter un procès. » Effectivement, jusqu'à maintenant, il s'agissait de faire quelque chose pour Jacques *post mortem,* de se battre pour essayer de donner un sens à cette mort en en trouvant la cause chez un responsable. Mais l'idée que la justice ait besoin d'exhumer le mort pour pouvoir agir est de trop. Jacques est mort, on ne va quand même pas le ressortir de sa tombe pour l'« ouvrir » et l'y remettre. Tout ça pour une histoire de casque, avec l'espoir trimbalé pendant deux ou trois ans d'en tirer de l'argent...

– Non, dit Martine, je ne réitère pas ma plainte. Je ne suis plus d'accord. Maître Kaspart, vous prendrez contact avec la compagnie d'assurances du conducteur pour essayer de transiger. Je vous demande de m'imiter, dit-elle à ses fils.

Saluant le juge d'instruction et l'avocat, Martine entraîne ses deux fils dans le couloir et leur dit simplement :

– Je ne veux plus entendre parler de justice, de procès. Je ne veux pas qu'on touche au corps de votre père. Je ne veux pas passer trois ans de ma vie à attendre la fin de cette pièce judiciaire. Je veux qu'on me fiche la paix avec mon chagrin. Je vais m'acheter une robe noire que je porterai six mois, et vous donner des cravates noires. Cela coûtera moins cher que ce procès imbécile. On ne va tout de même pas rouvrir une tombe pour un procès. Votre père est mort, il faut en prendre acte. Désormais, c'est un problème avec vous-mêmes, en vous-mêmes. Ne laissez pas les prétextes envahir votre vie et d'autres, même pleins de bonne volonté, jouer les médecins de Molière avec votre chagrin.

– Tu vois, maman, dit Ludovic, ce procès était notre idée, pas la tienne. Nous l'avions bien senti lors du premier rendez-vous chez Me Kaspart. Nous avons vu que tu étais crispée.

– Encore plus au deuxième rendez-vous, renchérit Charles.

– Oui, répond Martine, je me suis complètement fourvoyée, j'ai cru que la justice allait m'aider à supporter la mort de votre père, qu'elle allait remplacer toute une série de rites que j'ai connus. Quand j'étais petite, on avait le droit de pleurer ses morts. Toute la société organisait le deuil. Avec des mots appropriés, les messes, les curés, les réunions de famille, les costumes noirs, les crêpes noirs, les condoléances... Lorsque nous avons déjeuné ensemble après l'enterrement, j'ai dit : « On n'en parlera pas. » Je me suis laissé avoir moi aussi par la mode, le paraître, la peur de craquer. J'ai marché avec le mouvement qui fait aujourd'hui disparaître les morts du discours des gens.

– Je sais, lui dit Ludovic, j'ai vu à la télévision l'année dernière un père qui avait perdu sa fille dans la catastrophe de Furiani lui parler sur sa tombe devant les caméras. Je ne suis pas sûr que parler aux morts soit très sain !

– Ce n'est pas ça, répond Charles à son frère. Maman ne dit pas qu'il faut parler aux morts, mais parler des morts.

– Merci, dit Martine. Je crois, Ludovic, que ton évocation de Furiani explique bien ce que je ressens. J'ai cru que la justice allait remplacer cette absence de cérémonies dont je souffre aujourd'hui. Quand j'ai vécu la mort de ma grand-mère en 1960, à 11 ans, puis celle de mon grand-père à 13 ans, le deuil était si bien organisé qu'on était obligé d'en parler. Tous les ans mes parents faisaient dire une messe pour l'âme de leurs parents. Il me semble que c'est en parlant de ses morts qu'on « fait » leur deuil. Et vous, mes pauvres chéris, je vous plains, quoique je vous comprenne d'avoir trouvé comme solution de remplacement la justice. Faites ce que vous voulez, mais sans moi car je ne peux pas continuer. En allant exhumer le corps de votre père afin de l'interroger avec cette autopsie, je me ferais l'effet de ce père parlant à sa fille morte, comme si je le sommais de répondre à ma question : « Dis-moi, Jacques, parle-moi une dernière fois en me faisant savoir... » Et je lui poserais cette question de savoir... s'il avait acheté un bon casque ! Mais serez-vous plus avancés de découvrir que le fabricant de casques est coupable après vous être échinés pendant trois ans à lui coller la responsabilité de cette mort sur le dos ? À quoi cela me servirait de mettre au ban le conducteur du break pour avoir commis une petite erreur de conduite en face de la grosse erreur de votre père ? Faudra-t-il aussi que vous fassiez le procès de votre père, responsable en partie de sa mort ? Qui est ce juge que vous allez chercher et mettre à la place du bon Dieu de jadis pour distribuer les péchés qui seraient cause de la tragédie ? D'ailleurs la situation est pire encore. Ma religion ne m'a jamais enseigné que nos péchés étaient la cause de notre mort, mais de celle du Christ venu les racheter. Pendant tout le temps de la procédure, que deviendrons-nous ? À quoi allons-nous passer notre temps ? À ressasser et ruminer tous les jours de manière morbide cet après-midi du 3 janvier ? À ausculter l'événement comme ces cinglés qui cherchent du métal sur les plages avec des compteurs Geiger ? Pour trouver quel trésor ? Trois, quatre ans plus tard, qu'aurons-nous gardé de Jacques après nous être battus autour de son crâne et de son corps ouvert, tripoté par les experts, regardé par des avocats, soupesé par les juges du siège et du parquet ?

Après ces propos définitifs et violents, Ludovic et Charles décident d'aller voir M^e^ Kaspart pour faire le point. En accord avec leur mère qui les laisse libres, porteurs d'un mot de Martine s'excusant pour sa volte-face, ils retrouvent l'avocat quelques jours plus tard. Bien décidé cette fois à ne pas se laisser déborder, Kaspart, un peu froid, les reçoit avec la ferme intention de purger une bonne fois pour toutes cette affaire.

– Je préfère que votre mère ait réagi ainsi tout de suite plutôt qu'au bout de quatre années de procédure !

– Quelle est la situation maintenant ?

– Un peu inhabituelle, répond poliment Kaspart. Tout d'abord, le juge d'instruction a simplement pris acte de votre départ brutal de son cabinet sans autre commentaire puisque vous n'avez rien signé. Vous êtes entrés, vous êtes sortis. En fait, il n'y a pas de procès-verbal. Je ne vous cache pas que cet épisode peut faire mauvaise impression sur tous ceux qui parleront au juge d'instruction. Qui ? le parquet et les avocats de la défense si le juge procède à des mises en examen du conducteur du break et du vendeur du casque, et leur raconte ce qui s'est passé avec vous dans son cabinet.

– Donc, pour le moment, pas d'inconvénient majeur, remarque Ludovic.

– Non, sauf à l'égard du juge d'instruction qui supportera difficilement que vous changiez d'avis une nouvelle fois.

– D'accord. Mais par rapport à la compagnie d'assurances ?

– Pas d'inconvénient, sauf que si je leur dis que j'ai déposé une plainte et qu'ils vont voir le juge d'instruction, celui-ci leur expliquera tout et nous n'aurons pas très bonne mine pour les menacer d'une procédure. Mais cela ne nous empêche pas de négocier avec eux. D'ailleurs, je leur expliquerai que la plainte est déposée mais que vous n'êtes pas sûrs de vouloir la confirmer avant de savoir quelle est leur position d'assureurs. C'est d'ailleurs la vérité.

– On peut la voir comme ça ! répond Charles en souriant.

– Pensez-vous que notre mère ait raison de renoncer au procès ? Elle nous a dit tout le mal qu'elle pensait de ce recours à la justice. Elle est persuadée que nous allons nous perdre et nous rendre malades en nous investissant dans une procédure. Je croyais cependant, dit Ludovic, que la justice était là pour réparer la souffrance que supportent les victimes d'une tragédie.

– Par exemple, reprend Charles, les femmes violées disent souvent que, malgré l'épreuve terrible que représentent pour elle la procédure devant la police, puis l'instruction pénale, puis le procès, la décision de la justice les soulage, les « répare ».

– D'abord, je ne suis pas si sûr que ce soit vrai dans tous les cas, répond Me Kaspart. Mais de toute manière, la situation est très différente. Le viol est une agression qui ne laisse pas systématiquement des traces physiques ; de plus le violeur se dissimule presque toujours derrière le prétendu consentement de la victime, ce qui renforce encore la douleur morale. La justice met des mots, des actes symboliques sur cette situation qui, de ce fait, est reconnue publiquement. Même chose pour les incestes qui sont encore plus graves parce qu'ils pervertissent la notion même de père. Dans ces cas-là, je comprends les femmes qui s'encouragent à faire des procès. Dans les affaires criminelles banales, le même ressort existe, avec cette différence que la tragédie est une mort, un vol, un pillage, ou tout simplement une perte d'argent. L'humiliation est visible et réparable. Mais dans les affaires d'homicide involontaire, la situation est complètement différente, parce que précisément *involontaire.* Les responsables sont autant dans la tragédie que les victimes car leur responsabilité est complètement déconnectée de la faute morale et absolument hors de proportion avec la sanction. Le *fatum* antique pèse sur les victimes. Il pèse aussi sur les « responsables » qui n'ont jamais voulu être les auteurs d'un drame. Notre société devient folle car elle veut maintenant donner un sens à des événements qui n'en ont pas en les faisant endosser par des gens qui n'ont pas cherché à les provoquer. Or les victimes sentent bien au fond d'elles-mêmes qu'il s'agit d'un artifice. Donc elles sont obligées de diaboliser les auteurs de l'accident pour rendre crédible le tour de prestidigitation que la justice accomplit devant eux. Moi qui m'occupe constamment d'accidents, je peux vous dire qu'il est très rare de voir des gens mettre délibérément la vie d'autrui en danger. Il y a bien sûr le cas des négriers qui exploient scandaleusement des ouvriers sans leur donner un minimum de sécurité. Voilà pour l'esprit de lucre. Vous avez des voleurs qui rognent sur la sécurité d'installations ou de machines. Les alcooliques qui travaillent ivres morts. Mais la plupart du temps, les gens sont de bonne foi. De « bons pères de famille » comme le dit le code, qui ont commis une maladresse, une erreur, une imprudence, qui peut arriver à tout le monde, mais dont les conséquences sont catastrophiques. À cause de la catastrophe, ils deviennent des pécheurs. C'est fou ! Dans notre droit, pratiquement tous les pilotes d'avion qui se sont crashés comparaissent maintenant devant un tribunal correctionnel – sauf les morts, qui auraient eu vocation au même sort s'ils en avaient réchappé. Maintenant, c'est au tour des contrôleurs aériens d'être accusés, non pas d'avoir enfreint un règlement, mais d'avoir eu un comportement qu'après coup, après le sinistre, les juges reconstituent de manière académique. Des fonctionnaires sont accusés et traduits en justice pour n'avoir pas instauré assez de règlements imposant des sécurités supplémentaires. Un homme vient de porter plainte contre un ministre de la Santé parce que la prévention du cancer du côlon était insuffisante au moment où il a été frappé par cette maladie. Une mère de famille a été renvoyée devant un tribunal correctionnel pour homicide involontaire parce que, affolée de voir que son train, contrairement à l'habitude, ne s'arrêtait pas à la gare où elle devait aller chercher son enfant à l'école, elle avait tiré le signal d'alarme, provoquant ainsi une catastrophe. La mairie de Grenoble a été mise en examen parce que six enfants se sont noyés dans une rivière à la suite d'un lâcher d'eau par l'EDF, au motif qu'un des agents municipaux qui devait encadrer cette classe verte était absent pour cause de maladie, puis son remplaçant pour cause de désistement. Aux élections de 1995, 40 % des maires sortants ont refusé de se représenter aux élections municipales à cause des menaces que les poursuites pénales font peser sur eux. Songez que les deux maires successifs d'une même commune ont été poursuivis en avril 1996 pour homicide involontaire parce qu'un enfant s'est tué dans le parc municipal sur un agrès mal scellé ; ils auraient dû aller vérifier le portique – du coup ces jeux ont disparu de toutes les cours des écoles en France. Un autre maire a été condamné pénalement pour la chute d'un obus décoratif d'un monument aux morts, un autre pour celle d'un banc public, un troisième pour la défectuosité d'un lampadaire. Sans compter les déversements polluants de purin par les agriculteurs, ou les défauts de stations d'épuration dont les maires portent le chapeau pour leurs conséquences sur l'environnement. Demain, le ministre de l'Intérieur sera poursuivi pour homicide involontaire après une catastrophe routière parce qu'il n'aura pas interdit l'alcool au volant. Et puis, pourquoi pas, les parents d'une jeune recrue tuée au combat attaqueront pénalement le général qui a commandé la manœuvre. Dans l'état dans lequel nous nous trouvons aujourd'hui, on trouvera bien un juge pour faire la besogne. On en a bien trouvé un pour mettre en examen un préfet de 80 ans après la crue catastrophique de Vaison-la-Romaine, trente ans après qu'il eut délivré le permis de construire des maisons inondées ! Nous évoluons vers une situation à l'américaine, sauf que les Français ont tendance à tout demander au pénal. Aux États-Unis, pays de procès dont nous nous gaussons, aucune des affaires dont je viens de vous parler n'aurait été plaidée au pénal, mais au civil seulement.

– Et à quoi attribuez-vous ce mouvement ? demande Charles.

– Nous sommes tout près de votre affaire, dit Kaspart. Votre mère a raison, les gens n'ont plus de repères : ils repoussent toute autorité, médicale, politique, administrative, religieuse ; ils sont renvoyés à eux-mêmes dans un individualisme forcené. C'est un avantage par rapport à une situation inverse, complètement paternaliste, où l'individu étouffait dans des carcans qui l'enserraient dans la cellule familiale, l'Église, l'administration locale puis centrale. Par un juste retour du balancier, tout a explosé, d'autant plus que la multiplicité et la nouveauté des problèmes à résoudre par les représentants de l'autorité ont rendu leur travail de plus en plus mauvais. Chaque individu a donc récupéré une grande partie de liberté nouvelle. Mais voilà, cette liberté fait mal lorsqu'il s'agit de se colleter à la mort et à la tragédie. Jadis, tout ce carcan parvenait à faire avaler de gré ou de force l'absurde de l'histoire en lui donnant un sens. Aujourd'hui, le sens a disparu et c'est la justice qui est sollicitée pour en redonner. Comme les erreurs de l'autorité se multiplient, le mouvement s'accélère. Voyez l'affaire du sang contaminé. Le pouvoir médical était l'un des derniers à être respecté. C'est fini. Songez qu'après cette tragédie, un comité a été amené à proposer qu'on tire au sort des médicaments contre le sida ! Quant aux politiques, ils en ont pris aussi pour leur grade. Regardez Laurent Fabius, ancien Premier ministre, traîné devant la Cour de justice parce que ce drame s'est déroulé pendant sa présence à Matignon. Cette affaire est typique de l'évolution du rôle de la justice. Confronté à une épidémie nouvelle, l'ensemble des figures de l'autorité, médecins, administratifs, politiques et entreprises semi-publiques, a été défaillant. Tous ces pouvoirs ont commis l'erreur pardonnable de ne pas avoir tout de suite compris la gravité du mal, et impardonnable de ne pas prendre le taureau par les cornes en proposant des indemnisations très importantes aux victimes. Doublement frustrées dans leur demande de protection par l'autorité, les victimes se sont naturellement dirigées vers les tribunaux correctionnels pour faire juger, non pas la responsabilité civile, mais la responsabilité pénale de tous les pouvoirs concernés. Dans ces circonstances-là, un tribunal trouve toujours des fautes à sanctionner, compte tenu de l'élasticité extrême de la notion de faute pénale volontairement étendue par la jurisprudence. Dans l'affaire Garretta, le procureur a bien précisé qu'il avait choisi une demi-douzaine de personnes plutôt qu'une centaine, avec une incrimination sérieuse mais limitée, la distribution de produits frelatés, considérant qu'il n'y avait ni empoisonnement ni besoin de poursuivre trop de responsables. Mais le barrage a cédé sous la charge émotionnelle. Qui peut donner aux victimes un sens à leur tragédie ? Qui, je vous le demande ? La version moderne du diable. Celui-ci est recréé par la justice pénale qui, par sa décision, affuble de cornes et de pieds fourchus le « coupable ». Pourquoi pensez-vous que le diable a été inventé par la religion ? Pour éponger l'angoisse des malheureux confrontés jadis à une vie mille fois plus difficile qu'aujourd'hui. Le diable donne du sens : il permet de trouver une cause à l'horreur, d'entrer donc dans un système logique, de sauver sa raison. La justice est là pour donner au peuple un substitut au démon. Mais le hic tient à ceci : bien que jouissant de ce pouvoir de créer du coupable, donc du sens, les tribunaux, les juges sont quand même soumis à leurs propres limites, celles générées par la loi dont tout le mouvement, depuis des siècles, est orienté vers une limitation de la possibilité de créer des boucs émissaires ; la capacité de diabolisation appartenant aux juges est limitée, tandis que la volonté de la victime est illimitée. Cette fonction nouvelle du juge dans une affaire comme celle du sang est donc une gageure : la rationalité et la mesure obligent à limiter les incriminations dans leur nombre et leur qualification, mais la pression populaire fait craquer la logique. Une fois la boîte de Pandore ouverte, impossible de la refermer. C'est pourquoi vous voyez aujourd'hui le Premier ministre et plusieurs ministres mis en examen. C'est pourquoi un juge d'instruction a repris une affaire déjà jugée, mettant les mêmes personnes en examen pour empoisonnement, passible non pas du tribunal mais de la cour d'assises. Toujours plus ! Vous parliez, Charles, du fonctionnement inversé de l'amour du censeur. En voilà l'exemple typique : cédant à la pression des victimes, la chambre criminelle de la Cour de cassation a rendu voici deux ans une décision permettant dans cette affaire de rouvrir des poursuites pour empoisonnement. On sait que l'empoisonnement suppose une intention homicide qui a été écartée jusqu'à maintenant par le premier tribunal et la première cour d'appel saisie de l'affaire.

Mais le bon sens juridique ne va pas dans la même direction que la volonté des victimes qui pensent être soulagées en diabolisant davantage les coupables. Quand la chambre criminelle de la Cour de cassation a rendu son arrêt, laissant ouverte cette possibilité de faire juger par la cour d'assises une deuxième fois pour empoisonnement des personnes déjà condamnées par le tribunal correctionnel pour fraude, l'émotion fut grande dans la salle d'audience. Les avocats ont commencé à parler aux journalistes pour exprimer leur indignation ou leur satisfaction. Le président de la chambre criminelle n'y tenant plus est descendu de son estrade pour se joindre à la troupe effervescente des médias et leur commenter son arrêt. Ces quelques marches descendues par un des cinq plus hauts magistrats de France vers les médias ont valeur de symbole. C'est le censeur, comme vous le disiez, qui court après l'amour du peuple.

– Et jusqu'où cela ira-t-il ? demande Ludovic passionné par le débat.

– Logiquement, ce mouvement conduit directement à la mort des juges parce que le public s'apercevra tôt ou tard qu'ils sont des imposteurs, qu'ils en savent plutôt moins que les politiques et se comportent comme des sorciers modernes.

– C'est-à-dire ?

– Le pouvoir de condamner n'est jamais aussi grand que pour celui qui subit la décision du juge. Mais pour le plaignant, il est toujours insuffisant. Regardez les victimes de Furiani, certaines d'entre elles ont injurié les juges malgré la lourdeur des peines. Une condamnation à deux ans ou maintenant cinq ans de prison pour avoir causé un accident est atroce pour celui qui écope, mais trop légère pour les plaignants. Donc le juge finira par subir la révolte des justiciables condamnés ou des victimes pour cause d'excès d'un côté et d'insuffisance de l'autre des mêmes décisions. Cette frustration des justiciables amènera la remise en cause du juge parce que les citoyens s'apercevront qu'il n'en sait pas plus qu'eux sur la tragédie, la mort, le sens de l'horreur. Ceux qui manipulent le sens ne peuvent durablement agir en toute impunité s'ils n'ont pas d'autres ressources que celles des sorciers. Aussi, que le censeur veuille qu'on l'aime le conduit à sa perte parce que la course-poursuite avec la demande de sens mène directement le juge à révéler rapidement sa vacuité. Il n'a rien d'autre à offrir que ce dont est capable un homme ordinaire. En résumé, il ne faut jamais encourager une demande impossible à satisfaire. C'est une faute qui commence très bien et finit très mal. Tandis que l'indifférence, la surdité, l'aveuglement symbolisé par le bandeau qui recouvre les yeux de l'allégorie de la Justice permettent bien davantage à celle-ci de rester à l'abri dans sa fonction décevante mais nécessaire. Le censeur ne doit surtout rien promettre. Il ne s'agit nullement d'une activité réparatrice, mais d'une activité frustratrice, fermée à toute émission d'amour, ouverte sans réponse à toutes les demandes que la nécessité camoufle sous l'amour. Si le censeur se met à vouloir être aimé de son peuple, il entre tout à coup dans un cycle infernal sadomasochiste qui détruit la fonction et entraîne finalement sa ruine. Ce n'est pas pour rien que la justice en France est morte une première fois lorsque les parlementaires ont voulu marcher vers le peuple pour faire la Révolution.

Me Kaspart a fait un effort. Pour la première fois, deux jeunes gens l'ont poussé dans ses retranchements. C'est peut-être la conversation la plus importante qu'il ait eue avec des clients.

– Ce que vous dites de la justice est tout de même bien cynique, maître ! reprend Charles. On ne peut pas souhaiter son aveuglement. Qu'elle ne coure pas après l'opinion, soit, mais qu'elle comprenne davantage les gens, c'est tout de même un progrès.

– Vous avez raison, il faut à la justice une intelligence de la société dans laquelle elle s'exerce. Mais, comme le disait un célèbre magistrat après la guerre, « la cour est là pour rendre des arrêts et non pas des services ». Il pensait à l'époque aux services demandés par le pouvoir politique. La dépendance a aujourd'hui changé : le service demandé vient de l'opinion car nous vivons désormais dans une démocratie d'opinion. Or je dis que cette soumission rampante est peut-être encore plus dangereuse que l'autre car elle est floue, molle, passionnelle, émotionnelle, soit le contraire de ce que doit être la justice qui simplement, par la voix des juges, dit « c'est comme ça », tout en laissant entendre aussi une autre vérité, celle de l'ordre du « je ne sais pas », en tout cas « pas plus que les autres ».

L'esprit chauffé à blanc par cette explication paradoxale, Charles et Ludovic demandent à Kaspart :

– Et si nous faisions quand même un procès, que se passerait-il ?

– D'abord, vous risqueriez de vous fâcher avec votre mère. C'est votre affaire. Mais ensuite, je crois que vous seriez déçus. Pour toutes les raisons que je viens de vous indiquer. Votre mère a très bien compris le rôle d'*ersatz* que joue la justice dans le travail de deuil. Inutile de revenir là-dessus. Tout ce que je vous ai dit sur le rôle de substitution de la justice s'applique à vous. Pendant trois ou quatre ans, le temps de l'instruction, du jugement, de l'appel, du pourvoi en cassation, vous allez suspendre la prise en charge de votre deuil. Et quel que soit le résultat obtenu judiciairement, il vous faudra le commencer beaucoup trop tard, à la fin de la procédure.

– Mais pourquoi dites-vous que la justice suspend le travail de deuil ?

– Parce que la justice masque pendant toute la préparation de la décision à venir l'absurdité, le scandale de la mort quelle que soit sa cause. C'est la recherche de la responsabilité d'autrui, c'est-à-dire la quête d'un sens à ce décès, qui barre la possibilité de démarrer son deuil. La disparition d'un être proche est d'abord une absence mais aussi un scandale. Le transfert de ce scandale sur un conducteur de break Peugeot maladroit ou sur le vendeur d'un casque éventuellement défaillant est un artifice dont vous ne connaîtrez la vanité qu'à l'issue de la procédure, même si elle vous donne le résultat optimal. Une fois les « auteurs » de l'accident placés au pilori et les indemnités empochées, vous constaterez rapidement que le scandale demeure. Des esprits simples considéreraient que la persistance de cette frustration tient à l'insuffisance de la sanction. Mais même si ces « responsables » étaient mis à mort, la frustration serait encore plus grande et dangereuse. Car plus aucun prétexte ne viendrait dès lors éponger le désordre persistant de la disparition de l'être cher. Et puis, pendant tout le temps du déroulement de la procédure et de la recherche des causes du scandale, vous n'auriez pas traité l'absence de votre père de la même manière, vous auriez été « distraits » de votre deuil par la procédure. Enfin, je pense qu'à la fin de celle-ci vous me détesteriez cordialement. En effet, je fais partie du monde judiciaire, je suis un rouage entre vous et la justice, ou plus exactement son appareil. Le choc que vous rencontreriez serait terrible au moment du procès. Je vous devine, un matin, entrer dans une de ces chambres correctionnelles parisiennes, n'ayant pas dormi depuis des jours et des semaines en attendant le « grand jour » ; assis sur un banc de bois ciré, vous attendez que les grands prêtres arrivent pour lever ou déchirer le voile qui couvre cette allégorie monumentale à laquelle vous croyez. Après le coup de sonnette précédant l'ouverture de l'audience, comme les trois coups au théâtre, trois juges et le procureur font leur entrée, appellent toutes les affaires. Première humiliation en constatant que *votre* affaire ressemble à un avion faisant la queue sur la piste de décollage. Deuxième humiliation : *votre* affaire est encadrée par d'autres dossiers de médiocre intérêt et le temps qui lui sera consacré n'excédera pas une heure et demie, réquisitoire et plaidoiries comprises. Imaginons que, par chance, l'autopsie laisse découvrir une probabilité de causalité entre un défaut du casque, sa non-homologation et le décès de votre père, vous voilà très satisfaits de voir le vendeur et l'importateur traînés sur les bancs du tribunal aux côtés du conducteur du break. Vous êtes gonflés d'espoir, heureux d'avoir vu rassembler enfin tous les responsables de la mort de votre père. La pièce est enfin jouée. Las ! Ce n'est pas ce que vous pensiez : cinq ou six questions du président qui pointe les fautes de votre père, leur rapport avec le comportement du conducteur et positionne la question du casque ; un réquisitoire du procureur laissant toutes les portes ouvertes à une condamnation ou à une relaxe des intéressés ; plaidoirie des deux avocats des prévenus (on appelle comme cela les personnes poursuivies devant le tribunal correctionnel) venant contredire complètement tout ce à quoi vous avez cru pendant deux ou trois ans ; pire encore, ma plaidoirie d'une durée de vingt minutes, réduite à quelques explications techniques et jurisprudentielles. Au lieu de l'opéra tragique que vous attendiez, vous vivez un petit épisode digne d'une réunion de travail entre chefs de gare réfléchissant à un problème d'aiguillage. J'ai malheureusement, en vingt-cinq ans de métier, vécu trop souvent cet effondrement du mythe judiciaire à l'audience publique, qui conduit mes clients à une dépression majeure, doublée du triste sentiment de s'être fait flouer, aggravé par un certain dégoût. Ce n'est pas impunément que des proches acceptent de laisser tripoter le souvenir et l'image d'un mort.

– Pour notre affaire, insiste Charles, quel aurait été le jugement à votre avis ?

– Comme je l'ai toujours dit, soit une relaxe pour absence de faute dans le cas du conducteur, et pour absence de relation entre la faute et le décès dans le cas de l'importateur et du vendeur du casque ; soit, au contraire, une condamnation alambiquée avec une peine très légère. De toute façon, vous n'auriez pas été satisfaits. J'imagine même que vous m'auriez fait des reproches. Une bonne âme de votre entourage n'aurait pas manqué de vous susurrer que l'avocat aurait dû agir autrement pour éviter ce « mauvais » résultat.

– Par exemple ? demande Ludovic.

– Les ressources de l'imagination n'ont pas de limites lorsqu'il s'agit de trouver une échappatoire à une situation intellectuelle sans issue. Par exemple ? Au hasard, vous m'auriez reproché de n'avoir pas mis en cause la responsabilité de l'État et de la mairie de Paris pour avoir dessiné puis laissé en l'état un carrefour aussi dangereux que celui du boulevard de La Tour-Maubourg-rue de l'Université. Pourquoi ne pas imaginer aussi que le SAMU serait responsable de ne pas avoir prodigué des soins suffisants à votre père alors que celui-ci n'était peut-être pas mort avant d'arriver à l'hôpital. Tout est bon dans de pareilles situations pour entrer dans une spirale sans fin. Vous auriez voulu faire appel. Et puis au bout de dix mois d'attente et la confirmation de la décision du tribunal, ou pire encore, sa modification, vous auriez voulu de toute manière faire un pourvoi en cassation. Au bout d'un an et demi supplémentaire vous vous seriez retrouvés complèment énervés au sens littéral du terme, et tout à fait dans l'état prévu par votre mère.

– Alors, que devons-nous faire ?

– Prendre acte du décès de votre père et commencer votre deuil tout de suite. Sortir de votre tête l'idée d'une cause morale de sa mort. Accepter le destin qui vous frappe dans toute sa cruauté et son absurdité. Vous décharger complètement sur moi du travail judiciaire à accomplir. Ne rien attendre de la justice, sauf son appréciation purement technique d'une possibilité d'indemnisation. Accepter l'argent que je pourrai vous obtenir comme ce qu'il est, c'est-à-dire une contribution purement matérielle de la société à vos besoins matériels rendus plus importants du fait de la disparition de la force de travail de votre père. Supporter l'absence de cette indemnisation comme purement technique si la compagnie d'assurances refuse de payer et si les tribunaux refusent de la condamner. Revenons à ce que je vous ai conseillé dès le départ : laissez-moi négocier avec les compagnies d'assurances du conducteur, de l'importateur et du vendeur de casque. Partez de mon cabinet comme si vous ne deviez rien espérer, ni de moi, ni de la justice. À ce moment-là seulement, mon travail, s'il est réussi, vous apportera un élément d'autant plus positif que ses fruits seront inattendus.

– Alors, la Justice... c'est quoi ?

– Ce n'est pas autre chose qu'un système de représentation, une sorte de jeu nécessaire qu'il faut prendre comme tel et qui ne peut procurer que des palliatifs.

– Merci pour cette leçon de philosophie, lui répond Charles.

Et les deux frères serrent la main de Me Kaspart en lui demandant de faire pour le mieux.

# IV

# Un crime

À 11 h 30, le juge Tiebo vient de pénétrer dans son cabinet, au premier étage de la galerie de l'instruction du Palais de justice de Paris. Il ouvre lui-même le paquet de lettres posé dans le bac métallique sur son bureau. Une enveloppe recouverte d'une écriture scolaire au stylo-bille bleu et provenant de Fleury-Mérogis attire son attention. L'écriture lui rappelle celle d'un détenu modèle, Fabien R., tristement célèbre pour avoir assassiné un jeune garçon de 10 ans qu'il avait enlevé en voiture dans une rue près de son école. « Qu'est-ce qu'il me veut encore celui-là ? » Après avoir ouvert avec lassitude l'enveloppe, Tiebo tombe en arrêt devant cette simple phrase : « Monsieur le juge. À l'heure où vous me lirez, je serai mort. Une lettre suivra pour vous, elle sera trouvée dans ma cellule près de mon corps. » Peu habitué à de pareilles facéties, Tiebo décroche son téléphone et compose le numéro du directeur de la prison.

– Allô ? Bonjour monsieur le directeur. Je viens de recevoir une lettre de Fabien R. me disant son intention de se suicider. Vous pouvez voir où il est ?

– Un instant, répond le directeur.

Après une minute d'attente, le directeur reprend l'appareil :

– Aux dernières nouvelles, il était à la promenade, monsieur le juge. Je vous tiens au courant dès que nous l'avons récupéré.

– Merci.

Ouverture d'autres lettres : demande d'autorisation de visite de personnes non membres de la famille, demande de liberté, désignation d'avocats en remplacement du précédemment nommé. La routine. Arrivée du greffier, Mme Devant, qui prépare soigneusement son matériel pour l'après-midi. Le juge assure la permanence du cabinet pour recevoir entre 13 h 30 et 14 h 30 les avocats, leur communiquer les dossiers, discuter avec eux des prochaines demandes de mise en liberté... Au moment de refermer la porte du bureau, la sonnerie aiguë du téléphone retentit.

– Monsieur le juge, R. s'est suicidé.

– Comment ça ?

– Il était à la promenade. Il a prétexté se sentir mal et est rentré. Une fois dans sa cellule, il a noué son drap, est monté sur le lit, l'a attaché à la fenêtre et s'est pendu.

– Quelle horreur !

– Nous avons trouvé une lettre à côté du corps : une quinzaine de feuillets dans une enveloppe kraft à votre intention.

– Faites-moi passer cela en vitesse.

– Je m'en occupe.

– Il va falloir faire une autopsie. J'en avise le parquet.

– Bien, monsieur le juge.

Le juge Tiebo descend l'escalier de la galerie d'instruction et, méditant cette nouvelle, décide de s'isoler du Palais en allant déjeuner à la rôtisserie périgourdine de l'autre côté du pont Saint-Michel, un endroit où la densité des avocats et des magistrats est faible. Toujours ennuyeux pour un juge cette fuite qui fait échapper à la justice la connaissance d'un dossier. Même par la mort, cette manière pour le criminel de fausser compagnie à la cour d'assises provoque une réaction d'irritation de la part de l'institution. Un peu comme si la souris s'échappait à l'instant d'être croquée par le chat. Tiebo, juge d'instruction de 45 ans, déjà bien rodé dans la fonction, est familiarisé avec tous les tics et les vices du métier dont cette frustration digne des chasseurs fait partie.

Après avoir tué ce gosse, Fabien R. était devenu la proie de la justice qui allait s'efforcer avec tout son cérémonial d'exorciser le pire : le meurtre d'un enfant. S'enfuir avant le procès en se pendant au bout d'un drap ! Une évasion ! Comme si ce drap par-dessus le mur de la prison pendait vers l'infini. Et puis que va-t-on dire du chasseur, de lui, le juge Tiebo, incapable de conserver en vie son « patient » ? L'avocat va monter au créneau et dénoncer les conditions de détention. Il est vrai que les tueurs d'enfants posent des problèmes en prison. Les autres détenus se respectabilisent en martyrisant ce genre de criminels. Le regard fixé dans le lointain, Tiebo se restaure lentement. Il repasse dans sa mémoire les six interrogatoires de cet homme et l'année d'instruction, essayant d'inventorier minutieusement chaque signe qui aurait pu annoncer le suicide et expliquer ce crime apparemment insensé. « Peut-être n'ai-je rien vu de cet homme, pense Tiebo. Une pulsion, disent les psychiatres, une pulsion l'aurait conduit au meurtre. Une pulsion irrésistible l'aura conduit au suicide. Une fois cela dit, on n'en sait guère plus que sur les vertus dormitives de l'opium. »

Cette tragédie dans la tragédie décourage complètement le juge, comme si pour la première fois la vanité de son office lui sautait au visage. L'appareil judiciaire, il l'a toujours vu comme une espèce d'immense poubelle à recycler les déchets humains de la société. Réussi ou raté, le « retraitement » du justiciable est marqué sur une étiquette tamponnée par le tribunal correctionnel ou la cour d'assises. Et lui, juge d'instruction, il se vit comme une sorte d'aiguilleur sans passion ou un calibreur distribuant les hommes vers des destinations judiciaires avec un mode d'emploi pour la juridiction de jugement. Cette fois-ci, il n'aura servi à rien du tout, sauf à laisser disparaître la trace d'un homme qui aurait dû pourtant servir à quelque chose au terme de la chimie judiciaire. À moins que... À moins que dans cette lettre R. n'ait pu décrire cette espèce de continent noir du crime sur enfant.

Cette méditation avant l'au-delà, sur quinze feuillets, contient peut-être quelques signes sur ce mystère absolu dont aucun juge ni aucun psychiatre n'est arrivé à bout : le passage à l'acte. Mais il écrivait peu. C'était une sorte de demi-intellectuel qui n'avait pas dépassé le bac et s'était perdu dans les facultés comme ces rivières qui s'épuisent en de multiples bras minuscules et ensablés. Chômeur à 30 ans, une gueule d'adolescent, bricoleur à ses heures, pigiste dans des journaux de rue, coursier, parfois rabatteur dans des chasses en Sologne, fils d'un médecin de quartier et d'une intendante de collège morts récemment dans un accident de la circulation, Fabien R., dilettante polymorphe, savait écrire, savait penser parfois comme ces moteurs déréglés qui tournent rond par à-coups, par périodes, sans que l'on comprenne pourquoi. Un an d'instruction n'avait cependant rien apporté qui puisse faire comprendre un acte aussi fou, un meurtre d'enfant gratuit, sans aucun sévice sexuel, sans demande de rançon, sans raison.

Tiebo évalue comme un entomologiste l'acte meurtrier. L'expérience lui a déjà enseigné qu'il faut débarrasser l'acte criminel de ses scories. Bien difficile à réussir dans le cas d'un homicide survenu au cours d'un cambriolage : la mort donnée par le criminel est en fait une sorte d'accessoire non essentiel à l'acte délinquant. On pourrait naturellement s'interroger à perte de vue sur ce qui a conduit tel individu à exercer une sorte de profession parallèle de cambrioleur, voleur, avec parfois ce recours à l'assassinat.

Rien de mieux sur le sujet n'a été écrit depuis Mesrine. Tiebo lit et relit *L'Instinct de mort.* Mauvais fils, mauvais père, mauvais mari, Mesrine était rentré d'Algérie couvert de décorations après avoir pu donner libre cours à sa violence dans les commandos. Son père l'avait accueilli sur le quai de la gare et, regardant sa poitrine constellée de décorations, lui avait dit : « Tu es un homme maintenant, tu l'as prouvé. » « Il ne savait pas, ajoute Mesrine, que ma vie criminelle allait commencer pour ne plus jamais s'arrêter. Ce fut pour lui la seule et unique fois où il put être fier de moi. » Peu de criminels ont été capables d'expliquer plus clairement le grand choix de la délinquance, provoqué sans doute, pense Tiebo, dans le cas Mesrine, par la construction dès l'enfance d'une vision critique de la société adulte, méprisable au point de laisser violer et massacrer une femme tondue, le front marqué de la croix gammée, dans une cour de ferme sous ses yeux de gosse. Un monde où les pères partaient au STO avec le regard triste et soumis des moutons dociles. Un monde qui prétendait transformer le tueur de la guerre d'Algérie en représentant de commerce de dentelles. Très tôt, l'inversion des valeurs dans le tout jeune âge fabrique le délinquant dès lors que toutes les images fortes à vocation paternelle se trouvent chez les voyous et non chez les parents et les « autorités ».

Mais si le crime fait partie de la délinquance, la délinquance n'est pas le crime. Après tout, qu'un homme choisisse, tel un métier, de satisfaire ses appétits, ses désirs et ses sentiments en se payant sur la bête plutôt qu'en travaillant pour elle, rien que de très ordinaire. Tiebo voit une symétrie entre lui et Mesrine. Il comprend ses gestes, ses motivations. Lui, le juge, est un chien de garde ; Mesrine et ses semblables sont son gagne-pain. S'il faut des juges, c'est bien parce qu'il y a des voyous. Chaque société génère sa pègre et, après tout, comme le disait un collègue syndicaliste, dans les pays totalitaires il n'y a pas de pègre – mais il n'y a pas de juges non plus ! Et Tiebo d'ajouter : « Il n'y a pas de voyous parce qu'ils occupent le pouvoir ! »

Les rapports de Tiebo avec sa clientèle de délinquants sont en général excellents. Rien de mystérieux à cela : à bon chat, bon rat. Tiebo passe, depuis quinze ans dans le métier, pour un bon chat, et ses « rats » le respectent. Tout autre est son approche des crimes passionnels, fruits de la jalousie morbide, nourrie par des prétextes d'intérêt sordides. Qu'est-ce qui emprisonne si fort ces conjoints ou ces couples pour que la mort soit la seule échappatoire possible à leur enfermement ?

– Pourquoi la tuer ? demanda-t-il à un homme qui avait poussé sa femme du haut d'une falaise. Vous pouviez divorcer !

– Elle ne l'aurait pas supporté.

« Qu'est-ce qu'il voulait me dire, cet homme ? J'aimais trop ma femme pour la voir souffrir au cours d'un divorce ? Mieux valait la tuer ? Singulière façon de concevoir la charité chrétienne dont il se disait pourvu. D'un autre côté, ce ne sont pas les inconvénients mineurs du divorce qui pouvaient le conduire à ce meurtre qui, bien que prenant l'apparence d'un suicide, allait quand même lui procurer beaucoup plus d'inconvénients que d'avantages. Voulait-il éviter de briser aux yeux des autres une image de couple parfait ? Comme si la référence à autrui n'était pas déjà tout à fait chimérique pour un homme intelligent, mûr et médiocrement confiant dans l'intérêt que représente le regard des autres sur soi-même. Non, comme le prétendait l'accusé, il y avait de l'amour dans ce geste meurtrier. Les psychiatres avaient réduit cette affaire à son aspect le plus trivial : le mari a voulu se débarrasser de sa femme parce qu'elle le gênait. » La défense avait été tentée de faire valoir l'ennui : la description des soirées, la crapette et un doigt de bordeaux. Une femme de 60 ans, exerçant une tyrannie de la douceur sur un mari incapable de la satisfaire non plus que de la mettre au pas. Sans doute incapables l'un comme l'autre de trouver des mots et d'avoir le courage de les prononcer. Tiebo avait même pensé un moment que cette femme, en tel déficit de puissance, avait maquillé son vrai suicide en meurtre afin de garder jusqu'au bout la main sur sa vie et sur le destin de son mari, une fin digne de la *Tosca.* Terrible épilogue romanesque dont les femmes sont souvent capables, leur vengeance s'appuyant sur une imagination plus forte que celle des hommes, s'agissant de trouver des moyens indirects pour agir. Tiebo n'avait pas trouvé d'explications à ce crime, mais simplement une direction de sa pensée : l'importance des mots. Comme si l'impossibilité de dire les mots d'une rupture avait conduit ce couple à n'envisager que la mort comme porte de sortie parce que, après tout, elle savait bien que son mari ne l'aimait plus et qu'il trouvait la paix ailleurs. Donc la séparation était raisonnable.

Mais qu'y avait-il entre ces deux êtres pour que les mots leur soient apparus insuffisants pour se séparer, ou bien tout au contraire trop forts, plus destructeurs que la mort ? Peut-être les mots n'étaient-ils pas à leurs yeux suffisamment beaux pour dire une rupture, pas à l'échelle de cette passion qu'ils avaient construite et qui faisait l'émerveillement de tous leurs amis. Un couple extraordinaire, assurément. Le juge Tiebo fut terriblement secoué par cette affaire qui le sollicita bien au-delà de ce qu'il avait appris à l'École nationale de la magistrature.

Qu'avait retenu la justice de cette affaire ? Pas grand-chose et naturellement pas le plus important : il fallait absolument faire tenir ce dossier dans les deux larges ornières des lieux communs. Les psychiatres avaient tourné autour du pot, évoqué là aussi une pulsion, peut-être dans un souci utilitaire, afin d'éviter au mari la préméditation. Lui-même, juge, avait été davantage à la chasse aux maîtresses qu'à celle des mots afin d'essayer de trouver pour les jurés des motifs compréhensibles à l'acte criminel. Pas de maîtresse, pas de mots non plus. Finalement le pire était arrivé : à force d'avoir écarté tous les motifs classiques à l'origine d'un homicide passionnel, le dossier était arrivé en cour d'assises sans explication du tout. En condamnant très fort, les jurés montrèrent que, faute d'une explication raisonnable à ce meurtre, ils étaient allés chercher dans la part la plus sombre d'eux-mêmes le motif le plus noir à cette chute mortelle. C'est l'avocat général qui sut admirablement fédérer tous les non-dits du dossier : l'accusé avait tué par égoïsme, machiavélisme, pour se débarrasser d'une femme trop vieille, encombrante, à moindre coût. Par vanité aussi, par narcissisme, puisqu'il n'acceptait pas que ce monument conjugal que les autres voyaient en eux disparaisse. Faute d'une seule bonne raison, toutes les mauvaises s'accumulaient. De la vérité, il ne fut pas question. Mais quels sont donc les mots que ces gens-là n'aiment pas prononcer ?

– Quand je frappe, je ne frappe qu'une fois, avait dit le fils au moment de trancher la gorge de son père menuisier, restituant ainsi ce que le père ne cessait de lui répéter pour lui apprendre à vivre. Après le meurtre conjugal, un parricide, le seul crime véritablement « pur ». À moins d'être idiot, personne ne peut se tromper sur le parricide. Rien ne vient altérer le cristal transparent de l'acte criminel, ni les conditions sociologiques, culturelles, historiques. Pureté du passage à l'acte. Chacun comprend qu'il n'est pas bien normal de tuer son père et s'épargne de ce fait l'énonciation des sottises convenues et rassurantes. Cette phrase boomerang, « quand je frappe, je ne frappe qu'une fois », ce père l'avait constamment utilisée pour dresser son fils fruste, un de ces garçons qui poussent moins bien que les autres enfants de la famille. Le père l'avait pris en charge malgré son handicap qualifié de psychotique par les psychiatres locaux. Avec une grande force, dans un milieu d'artisans assez pauvres du Jura, il lui avait appris à raboter, scier, clouer, ajuster et à entretenir le matériel. Le père, taciturne, faisait toujours vivre son fils dans la crainte d'être frappé, d'un coup, d'un seul coup, en cas de défaillance. Tenu à bout de bras, cet homme de 30 ans comprenait bien que son seul accès à la normalité passait par ce père, devenu l'expression de la tyrannie. Tiebo avait tout de suite compris le pourquoi du geste du fils saisissant une scie après une dispute banale. Tel un diable comprimé qui s'échappe d'une boîte, l'acte criminel avait jailli, tranchant net la gorge du père comme les cordes d'un filet qui le retenait prisonnier. Tiebo, sans oser le lui dire, pensa sincèrement que le premier acte exécuté par le fils vers sa survie, vers sa guérison, s'était produit ce jour-là, par le meurtre du père. C'était lui ou moi, aurait pu dire le fils devenu, après cet acte, un sujet paisible. Tiebo rendit une ordonnance de non-lieu sur la base de la folie, telle que répertoriée par le code. Rien n'était cependant plus sain que ce crime, plus limpide, plus explicable. Jamais le meurtrier n'avait réussi à maîtriser le langage, se contentant de répéter plus ou moins bien ce que désiraient ses parents. Il y réussit ce jour-là très bien, en tuant son père. Là aussi des mots avaient manqué. Un acte les avait remplacés. Des paroles auraient suffi pour déplacer le père par rapport au fils, pour éviter ce tout ou rien qui fait « donner le corps » au lieu de donner le mot. Difficile pour un psychotique qui justement souffre de cette incapacité à faire autrement. Toujours est-il que cet acte, semble-t-il, permit à cet homme d'entrer dans le monde de la parole après avoir abandonné, grâce au parricide, le monde du silence.

Qu'en est-il de R. ? Que va découvrir Tiebo dans cette enveloppe kraft ? D'habitude la littérature des prisonniers n'est guère enrichissante : mélange de naïvetés, de lieux communs appris dans les journaux de caniveau ou auprès de personnages nourriciers ayant fait office de parents. La recherche d'une pépite dans le fatras habituel s'apparente habituellement au travail du chercheur d'or. La lecture consiste toujours pour lui à secouer pendant des heures un tamis pour trouver ne serait-ce que le sens d'une demande.

Enfin, l'employé du tribunal pose sur le bureau du juge l'enveloppe attendue.

Monsieur le juge,

À l'heure où vous lirez ces lignes, je serai mort. Que vouliez-vous que je fasse d'autre que mourir ? Ce qui me reste de vie est suffisant pour me donner la mort, et me tuer est la seule issue pour manifester ce qui est encore vivant en moi. Je dépends de tout le monde ici. Je n'ai plus rien qui dépende de moi que ma capacité à me tuer, pour me prouver un instant que je m'appartiens encore. Mon affaire ne vous intéresse pas. Elle n'intéresse personne. La famille du petit Tom ne s'intéresse qu'à son affaire, pas à la mienne. Leur affaire, c'est leur douleur, leur vengeance, leur deuil. Mon affaire, c'est mon meurtre d'un enfant qui pour moi n'était pas particulièrement leur enfant. Les psychiatres ne peuvent pas comprendre. Pour qu'ils comprennent ce que j'ai fait, il faudrait qu'ils puissent imaginer un instant que j'ai eu raison, moi, Fabien R., de faire ce que j'ai fait. Comment le pourraient-ils, eux, qui sont payés par l'accusation ? Ils vont dire que je suis pervers, comme d'habitude, et que les pervers sont des gens responsables. Mon avocat ne peut rien pour moi que m'humilier encore davantage. Il cherche par tous les moyens à plaider que je suis fou. Mais je ne suis pas fou. Qu'est-ce que le fou ? Pour la première fois depuis le meurtre, j'ai peur, j'ai mal. J'ai l'impression d'avoir fait quelque chose d'horrible mais de nécessaire. Et c'est aussi pour cela que je me tue. Comment pourrais-je continuer à exister avec la certitude que je devais tuer cet enfant ? C'est compréhensible et vous voyez bien que je ne suis pas fou. Il faut que je vous raconte comment tout cela s'est passé. J'étais dans ma vieille 4L. Je roulais à proximité du collège du boulevard Pasteur, près de la bouche de métro. J'allais rejoindre mon boulot de serveur au café dans la gare. Vous savez que j'y faisais des extras depuis le début de la période des fêtes. Je l'ai dit à l'instruction. Vous vous en souvenez comme du reste. Je vois un gamin de 10 ans tirer son cartable avec une tête si triste et désemparée que je me suis arrêté pour lui demander si ça allait. Il s'est mis à pleurer, m'a dit qu'il était en retard, qu'il n'avait pas fait ses devoirs, qu'il n'osait pas rentrer au collège. Je lui ai proposé de venir boire un chocolat le temps que la classe commencée se termine. Tout ça, vous le savez déjà. Ce que je vous ai caché, parce que mon avocat m'a interdit de vous le dire, c'est ce qui s'est passé entre nous. Je suis tombé amoureux de ce gosse dans les cinq minutes qui ont suivi son entrée dans ma voiture. Mon avocat avait peur que je vous dise cela et que j'aggrave mon cas en mettant du sexuel là-dedans. Ce n'était pas sexuel. Je n'ai pas touché au gosse. Vous le savez bien. Mais immédiatement j'ai eu l'impression enfin d'exister dans une grande aventure. Vous ne savez peut-être pas ce que c'est d'être amoureux. Enfin, tâchez de vous souvenir quand vous-même étiez gosse. Tout à coup le mystère. Un homme, une femme, parfois plus grand que vous, tout à coup dans un bus, dans le métro, une commerçante qui vous donne des bonbons, un beau parleur à la terrasse d'un café, un conducteur de bus, une camarade de classe ou un copain aux billes... ça craque, ça explose. Souvenez-vous au moins une fois ! Ça vous est nécessairement arrivé tout à coup, d'un seul coup, de sentir vos poumons se déplier comme une pile solaire. Des poumons qui prennent du volume. Vous respirez deux fois, trois fois plus, parce que vous avez croisé un regard, une voix, une odeur. Moi, je suis tombé sur ce gosse, sur ses larmes, son air battu. Il avait un béret, comme moi à son âge. En buvant son chocolat, il ressemblait à un chat méticuleux qui craint que chaque lampée de plaisir ne lui apporte des coups. J'ai décidé de prendre ma journée en prétextant la visite impromptue d'un neveu. Je l'ai convaincu de me suivre pour se « refaire ». Il était perdu, comme si ses attaches avec sa famille avaient tout à coup lâché et qu'il fallait que moi, simple passant, je sois l'occasion de ce grand largage. Je lui ai dit que moi aussi j'avais pleuré à son âge et que j'avais désiré prendre des vacances, échapper aux reproches, aux regards méprisants des profs sur mes devoirs. Je lui ai dit mon long calvaire dès le réveil à la perspective d'une journée triste, encore plus triste s'il faisait un ciel bleu, et plus douce quand le ciel pleurait aussi. Le trajet en métro avec le lourd cartable de livres, les leçons non lues après un départ seul d'une maison désertée dès 6 h 30 par les parents et le frère plus grand qui a « réussi ». Le métro à 10 ans, vous vous rendez compte, monsieur le juge ! Le gosse était pratiquement abandonné, comme moi. J'ai voulu lui donner une belle journée de vacances, lui offrir ce que j'aurais voulu rencontrer à son âge, un jour miraculeux, quand j'interrogeais le destin chaque matin pour savoir si cette journée-là le train sinistre de ma vie déraillerait. Nous avons été partout dans Paris. Je l'ai emmené à la foire du Trône. Nous avons mangé des frites et de la barbe à papa. Nous sommes allés au cinéma. Je lui ai passé le bras autour des épaules. Il dévorait son esquimau sans quitter son béret usé. Je le voyais se détendre, sourire, cesser de se méfier et de se comporter comme s'il avait constamment peur d'être frappé. Après le cinéma, le McDo près de l'Étoile. Il avait toujours voulu manger chez McDo un de ces hamburgers à trois épaisseurs. C'est là que j'ai menti en lui disant que j'étais un professeur en vacances. Je ne voulais pas l'inquiéter. Professeur, ça allait. Il m'a demandé si j'avais des enfants. J'ai répondu : « Non, je m'occupe de ceux des autres. » Je voulais qu'il reste avec moi en confiance, sans aucune crainte. Il fallait le détendre. Peu de choses suffisaient. Ni lui ni moi ne voulions penser à la fin de la journée qui s'annonçait déjà. À la sortie du McDo, je lui ai proposé d'aller voir les canots sur le lac du bois de Boulogne. Nous avons marché ensemble jusqu'à la place Dauphine par l'avenue Foch. De temps en temps je lui prenais la main. Il me la laissait, la retirait par jeu. Bien sûr, je me demandais par instants par quel miracle extraordinaire il ne réclamait pas de rentrer chez lui. Le miracle pouvant être l'amour qu'il éprouvait pour moi dans le même coup de foudre qui nous avait réunis. Mais toutes les cinq minutes cette idée m'obsédait, comme la torture de la goutte d'eau sur la tête. Arrivés au lac, nous nous sommes installés sur un banc en regardant dans les dernières lueurs les canots rentrer au port. Nous étions bien serrés l'un contre l'autre. Quand la nuit fut presque complètement tombée, il s'est mis à frissonner en me disant : « J'ai peur. » Je lui ai dit : « Tu veux rentrer chez toi ? – Non. – Tu veux rester ici ? – Non. – Tu veux que je t'emmène chez moi ? – J'ai peur », fut sa seule réponse. Moi-même j'avais peur. Nous tremblions maintenant tous les deux. Il s'est mis à pleurer avec des spasmes. Je l'ai pris dans mes bras. Je ne supportais pas qu'il souffre comme cela. Maintenant vous connaissez la suite. Il est mort. Je lui ai donné la mort, avec mes deux mains autour de son cou ! Vous m'avez déjà demandé pourquoi. Je vous ai répondu que je n'en savais rien. C'est faux. C'est encore mon avocat qui m'a soufflé cela. Je l'ai tué parce que je l'aimais, parce que je ne voulais pas qu'il continue à souffrir. C'était de l'euthanasie. Pardon de dire cela. En l'écrivant, je me sais provocant et ridicule. Je me suis senti si grotesque que j'ai posé la plume pendant deux mois. Je ne voulais pas me suicider sans avoir été plus loin. Non, bien sûr le gosse n'était pas malade et ne me demandait pas d'abréger ses souffrances. Donc, quand je dis euthanasie, c'est peut-être ce que je pense, mais c'est faux. J'ai tourné en rond dans ma cellule. Je ne voulais pas mourir en disant quelque chose de faux, de même que l'on ne peut pas mettre un point après une phrase qui n'est pas terminée.

Je n'arrivais pas à résoudre le problème. Le gamin m'avait dit non à tout. Non pour retourner chez lui. Non pour ne pas bouger, et « j'ai peur » quand je lui ai proposé de me suivre chez moi. À ce moment-là, je l'ai pris dans mes bras et je l'ai tué comme si j'avais compris qu'il me le demandait, comme si cette mort était une réponse à l'impasse dans laquelle on se trouvait. Je me suis dit que j'avais pensé à sa place. À sa place ! Ça m'obnubilait jusqu'au jour où le soleil, en pénétrant dans ma cellule, a dessiné une ombre chinoise, une sorte de demi-lune noire sur le mur, que je me suis mis à fixer intensément, le temps qu'elle se défasse avec le passage des nuages, puis disparaisse. J'ai gardé imprimée cette demi-lune dans ma tête pendant huit jours en me demandant pourquoi et à quoi cette petite ombre me faisait penser pour la conserver ainsi en mémoire. Et puis un matin, la voyant reparaître au mur, j'ai compris : le béret, le béret que portait le gosse, probablement donné par son père tant il était démodé. Le même que le mien jadis. J'ai compris ! Le gamin à la place de qui je parlais, c'était moi. Je me suis apitoyé sur moi. Je l'ai fait disparaître car j'ai voulu faire disparaître mon propre malheur en l'enserrant dans mes bras. Ce pauvre gosse n'existait pas. Il était mon fantôme. Vous comprenez mieux sans doute pourquoi sur le moment je ne me sentais pas coupable et pourquoi j'ai ramené moi-même dans mes bras le corps au commissariat. Je comprends pourquoi depuis ce meurtre je me sens à la fois mieux et pire. Comme si j'avais supprimé un malheur en en créant un autre avec la mort de cet enfant. Mais maintenant que, grâce à cette ombre chinoise sur le mur, j'ai compris ce qui s'était passé, je comprends davantage encore pourquoi je veux me suicider. Le gosse que j'ai tué était bien réel. Je ne peux pas me débarrasser de lui simplement en portant le corps au commissariat. C'est lui qui m'étouffe et vient me chercher tous les matins, furieux, pour que je le rejoigne. Tout est encore confus dans ma tête.

Évidemment ce n'est pas lui qui me tire du sommeil le matin, mais encore une ombre de moi-même. Je n'ai jamais compris ce que voulait dire la culpabilité. Maintenant, ça y est. La culpabilité, c'est d'accepter que les autres existent et souffrir soi-même autant que ce qu'on leur fait endurer. Que puis-je faire de plus que me tuer moi-même puisque j'ai découvert grâce au béret cette simple vérité ? Quel intérêt pour les autres de me voir vivre ? Quel intérêt pour moi de supporter chaque jour le vrai poids du cadavre de cet enfant dans mes bras ? Peut-être parce que j'ai compris ce qui m'était arrivé, pourrais-je le faire comprendre. « Oyez bonnes gens, venez voir l'homme qui a compris comment il a commis le crime des crimes : le meurtre d'un enfant ! » Mais je ne me sens pas la vocation d'un animal de cirque. Il faut que je termine le travail et que je serre le cou que je voulais étrangler : le mien. Au moins j'aurai tiré l'enseignement de ce que j'ai compris. Peut-être aussi la douleur des parents s'apaisera-t-elle par ma mort que je leur offre. Enfin, j'ai cru l'espace d'un instant de bonheur que j'aimais cet enfant, mais c'était une illusion parce qu'il ne s'agissait que de moi. Il faudrait donc que je m'habitue à l'idée de rester toujours seul, à me méfier de tout élan vers les autres sous peine de me laisser entraîner encore vers un fantasme. Vous me diriez que maintenant que je m'en suis aperçu, ce ne serait plus jamais pareil. Sans doute auriez-vous raison. Mais je suis comme un nourrisson à 35 ans : je ne saurais que pleurer et crier pour communiquer avec les autres. Qui m'apprendrait à utiliser les mots de mon âge ? Ce n'est pas possible. Ces enfants-loups, les petits martyrs enfermés dans des placards dès l'enfance, ne peuvent plus apprendre à parler. J'ai vu cela à la télévision l'autre jour dans ma cellule. Donc le mieux serait, monsieur le juge, que vous soyez mon interprète. J'ai écrit la partition de ma tragédie, vous saurez la jouer pour les autres.

Le juge Tiebo replace les quinze feuillets de cahier d'écolier dans l'enveloppe kraft avec l'impression de s'être fait rouler par l'auteur d'un astucieux canular. Comme si quelqu'un connaissait l'intimité de ses pensées sur le crime et voulait lui ajouter la pièce qui manquait à son raisonnement. À l'évidence, une fausse pierre, trop belle pour être vraie. Il n'est vraiment pas possible que ce type ait pu comprendre son propre crime dans des termes que lui, Tiebo, n'aurait pas trouvés tout seul bien que travaillant sur la question depuis des années. Il doit y avoir là-dessous quelque chose de dissimulé.

Le juge interrompt ses pensées car une instruction commence avec une confrontation entre un mis en examen et la victime : une histoire de vol à main armée qui a mal tourné. Le cambriolé a trouvé une arme pour surprendre un cambrioleur en plein travail, mais le cambrioleur plus vif – expérience oblige – a logé deux balles dans le corps du cambriolé, non mortelles. Confrontation pénible : outre l'humiliation de s'être fait voler, s'ajoute celle de s'être fait blesser. Tiebo comprend bien la haine de la partie civile qui aurait bien volontiers tué le cambrioleur. Ça se voit dans ses yeux. Mais ces affaires-là ne l'intéressent plus. Le crime de circonstances ne lui apporte plus rien. Que dire qui ne soit déjà écrit et rabâché cent fois ! Le portrait du cambrioleur est archi-standard. Pas de parents, des nourrices, une identité qui se forge dans le reflet des faits divers, avec une famille de substitution dans une bande de vauriens. Puis la rencontre avec la frange du milieu, le machisme des putes et la sentimentalité venimeuse des maquereaux. Toutes les étapes par lesquelles un gosse sort de l'enfance sont là, mais perverties et traduites en négatif. À 20 ans, le jeune cambrioleur est prêt pour la prison avec l'espoir d'y faire ses classes, de prendre du galon, et de vivre une dizaine d'années hors des murs pour faire sa guerre brillante et meurtrière. Peut-être aura-t-il la chance d'être arrêté par un grand flic qui le tutoiera au travers de la porte avant de lui passer les menottes et de lui manifester du « respect ». Et puis vingt ans de taule, avant de ressortir repassé comme une vieille flanelle et de se ranger dans le recel de voitures volées ou d'expert en casse. Avec les deux balles tirées sur la partie civile, le jeune homme risque d'en prendre au moins pour vingt ans fermes et douze de réels.

Tiebo le regarde sans haine comme on regarde les bébés crocodiles qui, parce qu'ils sont tout jeunes, attendrissent. L'avocat de ce délinquant, une trentaine d'années, pour une fois n'est pas pressé : il doit donc avoir été correctement payé par son client –

quant à savoir d'où vient cet argent... probablement le prix de quelques passes d'une ou deux dames restées fidèles et disposant au moins jusqu'au procès d'une « bonne mentalité ». La confrontation est écourtée, sans surprise d'ailleurs, rien n'étant vraiment discuté entre prévenu et victime, mis à part le temps du tir des deux balles : la victime, comme souvent, a entendu deux tirs espacés avec comme corollaire une volonté homicide ; le prévenu prétend avoir tiré deux coups rapprochés.

– On verra ce que les jurés en penseront, conclut Tiebo en faisant signer à chacun sa déposition.

– Maître, dit Tiebo à l'avocat du cambrioleur, pouvez-vous rester un instant pour que je vous dise un mot ?

– Bien sûr, monsieur le juge.

Tiebo, encore secoué par cette lettre, éprouve le besoin de parler avec un avocat.

– Maître Delcotte, que pensez-vous de votre client ?

– La magistrature, c'est fichu pour lui, répond en riant l'avocat.

– Plus assez de hiérarchie. Un corps qui fout le camp, ajoute le juge. L'Église aurait été un bon cadre, comme le parti communiste s'il avait pu faire de ce garçon un militant. Mais plus d'Église, plus de parti... Tout ce qui lui reste, ce serait l'armée. Il aurait fait un bon légionnaire.

– C'est ce que je plaiderai. Ces gosses-là, s'ils tombent sur un bon chef à 18 ans, tout va bien. La violence qu'ils ont dans la peau est complètement valorisée. Discipline ! ils sont preneurs. Les valeurs de parole, d'engagement, tout ce code viril, ils l'ont déjà appris. Ils sont simplement tordus dans le mauvais sens. Il faut les tordre dans l'autre sens. Certains officiers savent faire cela. De toute façon c'est trop tard. La seule armée qu'il va connaître est celle des psychopathes, de la prison, avec son peuple misérable et sa hiérarchie du crime. Quand je vois toute cette belle énergie gâchée, ça me fend le cœur, monsieur le juge.

– Moi aussi, avoue le juge. Vous connaissez Martin Paganou ? demande-t-il à brûle-pourpoint.

– L'avocat des tueurs d'enfants ? Un peu.

– Qu'est-ce qu'on en dit chez vous ?

Tiebo n'osait pas parler de ce suicide. Il préférait réserver la nouvelle à l'avocat du mort.

– C'est un avocat classique. Beaucoup de bon sens et d'humanité. Vingt ans d'expérience. On a tous trouvé chez les avocats pénalistes qu'il était bon qu'il s'occupe du cas R.

– Merci, maître Delcotte. Pour votre client, je clôture l'instruction. Il n'y a rien de plus à tirer de cette affaire. Je reçois demain le rapport d'expertise médico-psychologique. Je vais le signifier. Vous aurez quinze jours pour faire vos observations, après je communique au parquet le dossier pour qu'il suive à la chambre d'accusation.

La routine en matière criminelle.

– À propos des psy, dit Delcotte, vos experts sont toujours aussi nuls. En revanche, il y a un psychanalyste camouflé en psychiatre qui fait un tabac à la Santé. Je ne sais pas comment il a trouvé un divan dans ce chaos, mais manifestement ça marche !

Thibault referme la porte en cherchant dans sa mémoire puis dans son dossier une correspondance qui lui évoque un souvenir. « Oui, c'est ça », dit-il en palpant la feuille de cahier d'écolier extraite de la chemise « Correspondance détenu ». R. avait demandé à entrer en soins avec le docteur Roudian il y a un an.

Il est 16 h 45. Tiebo compose le numéro de Martin Paganou.

– Maître, il faut que je vous voie. Pouvez-vous passer à mon cabinet ?

– Je rentre juste du Palais, dit Paganou, d'un air navré.

– Allez, je fais la moitié du chemin. Rendez-vous à 17 h 15 chez Francis, place de l'Alma.

Intrigué à l'idée incongrue de rencontrer un juge d'instruction à la brasserie du coin, Paganou se demande ce que ce magistrat lui veut avec cette urgence. Le demi de bière n'est pas encore arrivé sur la table que Paganou a déjà lu la moitié de la missive *post mortem* de son client.

– Merde, merde, merde ! marmonne-t-il à la fois stupéfait et furieux de voir son client lui filer entre les doigts. Je ne comprends pas. Je ne l'avais jamais vu si détendu depuis un an.

– Ça ne m'étonne pas, commente le juge. C'est bien ce qu'il dit. Vous avez lu toutes les vacheries qu'il sort sur vous ?

– Bien sûr. Elles sont justifiées. Ce n'est pas de ma faute si le système judiciaire m'oblige à jouer les imbéciles. J'ai simplement voulu lui éviter de tomber dans les pièges classiques, c'est-à-dire les lieux communs du crime dans l'esprit du juge et des jurés. Vous vous rendez compte ! Plaider ce qu'il y a dans cette lettre, impossible !

Tiebo est soulagé par ce premier commentaire de l'avocat manifestement démonté. Pas de coup fourré dans ce suicide. Et l'avocat n'a sûrement pas trempé dans la rédaction de la lettre.

– Qu'est-ce que vous en pensez ? demande le juge.

– Ça, c'est un truc de psy.

– La lettre ou le suicide ?

– Les deux.

Paganou n'a jamais supporté les psy : ou bien ils ne disent rien, ou bien il a l'impression qu'ils « font les poches » de ses clients, cherchant à identifier des aspects d'un dossier qu'il n'avait pas vus et qui de toute façon sont inexploitables à l'audience.

– Roudian, vous connaissez ?

– Oui, R. le voyait régulièrement. Mais il ne m'en disait rien.

– Voyez-vous, maître Paganou, mon problème est le suivant, dit le juge. Je voudrais savoir si cette lettre est authentique. Ce soir la nouvelle va éclater au journal de 20 heures et dans tous les journaux de la presse écrite demain matin. Pour moi, cette lettre est importante. Si vraiment il l'a écrite tout seul, elle constitue un événement de l'histoire criminelle et je voudrais que l'annonce de cette mort se couple avec l'annonce de l'explication de son crime par R. Mais vous voyez, moi je ne suis qu'un juge, même s'il me charge en quelque sorte d'être son interprète. Vous, vous avez la légitimité. Vous êtes l'avocat. Je veux faire ce travail avec vous, dans les règles. Le seul contact qui me manque est le psy.

– Allons le voir tous les deux, propose Paganou.

Appel à Roudian qui leur fixe un rendez-vous entre 18 h 10 et 18 h 30, entre deux patients.

– Docteur..., commence l'avocat. Le juge Tiebo et moi-même venons de perdre un client, votre patient Fabien R. Voici la lettre qu'il a envoyée au juge. Qu'en pensez-vous ?

Et le psy d'éplucher soigneusement chaque page de cahier d'écolier avec l'œil d'un amateur d'œuvre d'art examinant un tableau.

– Et alors ? fait le psy, après avoir achevé sa lecture.

– Eh bien, qu'en pensez-vous ?

– Peut-être faut-il renoncer à exercer la psychanalyse en prison !

– C'est tout ce que cela vous inspire ?

– Professionnellement oui !

– Mais tout de même, cette lettre est authentique ?

– Vous voulez dire : c'est bien lui qui l'a écrite ? Ce n'est ni vous ni moi, ça se voit.

– Mais ce style, cette pensée... On dirait que c'est quelqu'un d'autre qui lui a soufflé tout ça !

– Moi, par exemple ?

– Non, ce n'est pas ce que je veux dire, répond le juge. Mais comprenez-moi, cette lettre ne ressemble pas beaucoup à ce que R. écrivait jusque-là. S'il s'est fait soigner par vous, je peux légitimement penser que sa lettre reflète les conversations que vous avez pu avoir avec lui.

– Vous voulez dire que j'ai fait de la suggestion ?

Tiebo et Paganou ressentent une hostilité croissante de Roudian devant leur démarche.

– Écoutez, dit le juge. Il nous reste sept minutes d'après votre emploi du temps. En sortant d'ici, il faut que je me décide pour savoir ce que je fais de cette lettre. Il y a ici le juge, l'avocat et le psy de R. Moi, j'ai deux questions : cette lettre est-elle authentique ou fabriquée ? Cette lettre explique-t-elle le crime ?

– Je n'ai qu'une chose à vous dire, répond le psy. Cette lettre a bien été écrite par R. en prison après une année de psychothérapie à raison d'une séance par semaine.

– Et pour sa valeur explicative, qu'en pensez-vous ?

– Rien. Messieurs, je vous remercie, dit Roudian au moment où la sonnette retentit, suivie par un bruit de loquet, quelques pas dans le couloir et une porte qui se ferme.

– Vous n'êtes pas très coopératif.

– Je suis à ma place.

En redescendant les étages, Me Paganou se sent humilié. D'abord parce que cette fameuse lettre ne lui a pas été adressée – d'un autre côté, pour annoncer sa mort, le juge était un meilleur destinataire. Son découragement vient surtout de ce que le psy lui paraît être le seul dans cette aventure à occuper une place qui, à côté de ce mort, ne soit pas ridicule.

À 19 heures, Tiebo se résout à adresser un communiqué à l'AFP mentionnant que Fabien R. a envoyé à son juge d'instruction une lettre expliquant son geste et son crime. Le journaliste des informations générales qu'il connaît accepte de faire seulement mention d'une « source judiciaire » à ce bref communiqué qui rappelle en quelques lignes le fait et l'histoire criminelle à laquelle il met un terme. Dix minutes plus tard, le juge téléphone au père de la petite victime.

À son grand étonnement, Patrick Poivre d'Arvor se contente de citer brièvement la dépêche de l'AFP, de même que les radios le lendemain matin. Comme si le meurtrier d'un enfant, en se suicidant, ne suivait en réalité qu'un destin bien logique. *Le Monde* du soir consacre cependant un quart de page aux suicides en prison, mentionnant les statistiques déplorables de l'année sur ce chapitre. Un bref encadré rappelle le sort difficile des détenus violeurs et meurtriers d'enfants en prison.

Dans la journée les parents de l'enfant assassiné rendent visite à Tiebo. La perte de leur enfant les a plongés l'année précédente dans une stupeur aggravée par l'évidence qu'il était devenu une proie facile parce qu'il était abandonné. Fabien R. n'avait jamais fanfaronné, ni demandé de rançon, ni brillé médiatiquement, ni déchaîné des torrents de haine dans la presse de caniveau, ni suscité de savantes analyses dans les journaux décents. Non, il s'était contenté de tuer leur enfant et de leur renvoyer sans fioritures une image de « complices ». Le crime était pur et le cadavre rapporté au commissariat, tel un portefeuille perdu sur la chaussée. Cet horrible renvoi sur eux-mêmes qu'a provoqué cet acte criminel, cette mise en question de leur rôle de parents et de la cause du malheur de cet enfant ont ravagé le cœur et le corps de ces braves gens que Tiebo plaint sans estime à leur égard mais sans mépris. Le mépris, il l'entretient secrètement à l'égard de tous les vampires, parents, familles, proches, se nourrissant du cadavre de la victime pour vivre dans une notoriété contestable. Comme si le drame criminel fouettait parfois le désir d'exister de ceux qui subissent le deuil : une sorte de cadeau posthume du mort. Tiebo n'éprouve pas de tendresse non plus pour les parents du petit Tom. Avoir laissé le gosse dans cet état de fugitif lui paraît impardonnable. Il préfère dans son cœur de juge endurci les victimes silencieuses qui le considèrent lui, juge d'instruction, comme le passeur accompagnant le mort de l'autre côté du fleuve Achéron avec le professionnalisme des croque-morts. Souvent d'un seul regard, ou grâce à quelques mots bien choisis, il se sent utile en étant celui qui met la légende criminelle sur telle ou telle étiquette cuivrée d'un tableau représentant un drame abominable, débordant de fureur et de sang, ou même tout simplement de sottise. Beaucoup de victimes commencent immédiatement leur deuil en voyant cet homme sec et froid, mais rigoureux, fermer définitivement en quelque sorte le cercueil sur le mort et mettre un terme à une tragédie qui n'a pas de sens « parce que c'est comme ça ». Souvent les familles passent au travers de tout le théâtre judiciaire sans encombre, alors que d'autres attendent deux ou trois ans, que le verdict soit rendu, avant de s'apercevoir de la vanité de leur effort pour différer le constat qu'un mort est un mort.

Ce qu'avait imaginé Fabien R. dans sa lettre d'adieu semble bien fonctionner. Pour les parents du petit, son suicide a en quelque sorte « standardisé » l'assassinat de leur fils en décès, sorte d'accident de la circulation. L'auteur du crime en se tuant a signé sa culpabilité et soulagé la leur. Ce donnant-donnant permet aux parents d'en rester là. Manifestement, leur visite au juge a pour seul objet d'officialiser la fin d'un chapitre de leur vie pour en ouvrir si possible un autre. Sur la lettre de R., aucune question, pas une once de curiosité qui leur aurait permis de découvrir son histoire et donc aussi celle de leur enfant. Ils préfèrent s'en tenir aux faits bruts et au simple aveu que ce suicide signifie. Tiebo se garde bien de leur montrer cette lettre qu'ils ne demandent pas à lire. Il confirme ce qu'ils veulent entendre : R. s'est suicidé parce qu'il ne supportait plus la culpabilité du meurtre.

Mais en refermant la porte, il est pris d'un malaise. Il ne peut classer cette lettre dans son dossier. Le psy ne veut pas en parler. L'avocat fait semblant de n'y trouver aucun intérêt parce qu'elle le met en cause. Les parents ne veulent rien en voir et la presse écrite et audiovisuelle n'a pas manifesté de curiosité. S'il avait reçu le moindre appel téléphonique s'y intéressant, il aurait volontiers transgressé la règle du secret qui le lie en donnant cette lettre à publier – d'ailleurs, de son point de vue, le décès le délie-t-il de son obligation de confidentialité ? Mais rien. Ce suicide a fait peu de bruit. Curieusement, le crime même de R. n'a pas non plus défrayé la chronique autant que d'autres affaires criminelles. Sans doute son « dépouillement » ne permettait pas aux médias de déplier tous les rubans et accessoires romanesques habituels. Peut-être aussi la stricte épure criminelle a-t-elle inspiré le respect, donc un certain silence.

Tiebo se rend compte qu'il a enfin touché une limite, que son communiqué anonyme à la presse était si discret qu'il manifestait sa volonté inconsciente de ne susciter aucune curiosité. Il comprend que le destin a placé dans ses mains l'occasion de toucher le cœur d'un crime. Il va falloir en faire quelque chose.

# *Épilogue*

Après avoir exercé trois années à Paris les fonctions de juge d'instruction avec la brutalité que l'on sait, le juge Lehachant a obtenu ce qu'il voulait : un poste de président de tribunal outre-mer. Une fois changé d'affectation, il montra un bon savoir-faire et utilisa ses qualités d'« activiste » de manière assez remarquable dans la réorganisation, sous les palmiers, d'un tribunal qui en avait fortement besoin. Il ne fit plus parler de lui. Ses collègues de Paris essayèrent de compenser cette mauvaise image de la fonction par un surcroît de précautions à l'endroit des prévenus, faisant leur la phrase de Fénelon : « On déshonore la justice si l'on n'y met pas la douceur, les égards et la condescendance. » Les politiques se saisirent du problème de l'instruction pénale grâce aux excès de certains juges d'instruction appliqués aux puissants. Après une dixième tentative depuis 1985, le Parlement parvint à réformer la procédure pénale en acceptant le projet le plus ambitieux produit par la commission Delmas-Marty. Le juge d'instruction fut supprimé et la détention provisoire réduite. Après cette réforme, le taux de détenus provisoires chuta de moitié en France, pour retrouver celui de l'Allemagne et de l'Angleterre.

Grâce aux crucifixions pénales publiques du même genre que celle à laquelle fut soumis Frédéric, la « moralité » des affaires en France fit de gros progrès, ainsi que la transparence dans le financement des activités politiques. Les juristes d'entreprise (sortes d'avocats ne disposant que d'un seul client : celui qui les emploie) progressèrent en nombre et qualité pour atteindre le niveau moyen de l'Union européenne. Les épisodes dramatiques connus par Frédéric et nombre de chefs d'entreprises portèrent donc certains fruits.

Naturellement, l'épisode carcéral et médiatico-judiciaire de l'intéressé eut pour effet de le ruiner complètement : contrôle fiscal approfondi de l'entreprise et de sa situation personnelle, réintégration dans les charges de l'entreprise de tous les frais et avantages divers servis aux clients étrangers grâce à la caisse noire ; dépôt de bilan après jet de l'éponge du pool bancaire ; faillite personnelle de Frédéric avec interdiction de gérer et participation de celui-ci au paiement d'une partie du passif. Frédéric et Caroline vendirent aux enchères publiques sur saisie leur appartement de Montmartre et s'installèrent pendant deux ans dans une maison en Anjou prêtée par des amis. Frédéric avait réussi, grâce à une astuce fiscale, à mettre de côté un peu d'argent dans une banque américaine. Caroline fit du secrétariat dans des cabinets d'avocats à Angers. Le procès de Frédéric eut lieu dix-huit mois après son incarcération. Par un juste mais rare retour des choses, après les explications de M^e Fratic, le tribunal se laissa entamer et ne prononça qu'une peine avec sursis amnistiable. Pendant les dix-huit mois d'attente, Frédéric considéra que la France, « c'était terminé pour lui ». Il ne pouvait plus demeurer dans un pays qui lui avait fait « ce coup-là ». D'abord, il vivait dans le cauchemar que tout recommence et d'une perquisition au petit jour, mais surtout il s'était « désocialisé », ne croyait plus à rien, riait des hommes politiques qu'il qualifiait de menteurs, ne supportait plus l'ombre d'un fonctionnaire, ne voulait plus payer d'impôts et se prit d'aversion pour toute la chaîne d'autorité, depuis l'agent de police jusqu'au président de la République. Son passé familial communiste entrait en phase avec la coupure du lien symbolique que la prison avait opérée entre lui et la société dans laquelle il s'était inséré. Après mûre réflexion et le constat qu'il ne pouvait continuer à vivre « comme ça », Frédéric et Caroline décidèrent de repartir à zéro en Californie, près de San Francisco.

Françoise et Pierre se sortirent fort bien de leur divorce et se revirent parfois agréablement. Françoise entreprit des études de sociologie et constata à cette occasion qu'elle n'était pas « morte », à la fois par le regard posé sur elle par ses jeunes camarades de faculté et sa grande facilité d'assimilation. Bien consciente de l'anachronisme provisoire de sa vie, elle se mit en « semi-ménage » avec un jeune chargé de travaux dirigés préparant l'agrégation de philosophie moins âgé qu'elle de dix ans, qui lui donna le sentiment de reprendre le cours de sa vie depuis le moment où le mariage l'avait interrompu. L'expérience judiciaire, fort précieuse pour elle par le côté dissuasif de ce bloc psycho-juridique qu'elle avait entrevu, lui avait fait suffisamment peur pour la conduire vers ce qui pour elle était la sagesse. Elle s'interrogeait cependant sur le sort de celles qui étaient prises dans cette machine de « soins » ressemblant aux machines des bouchers pour attendrir la viande. Dans quel état pouvaient sortir ces malheureux pris dans leur conflit conjugal et finissant par devenir « découpables selon le pointillé » ? Au fond, se disait-elle, en méditant sur ses cours, la peur de la justice est aussi le commencement de la sagesse. Et sans doute cet attirail moderne avait-il sans le savoir un rôle d'épouvantail. Pierre, en revanche, avait trouvé « très intéressant » son passage chez le médiateur ainsi que la solution apportée d'un commun accord avec sa femme à cette séparation. On avait évité de perdre du temps. Il pouvait se concentrer sur la question qui continuait à le tarauder : « Pourquoi m'a-t-elle quitté ? » C'est finalement lui qui se dirigea vers un cabinet de psychanalyste pour essayer de comprendre ce qui lui avait « échappé » de la fuite de sa femme. Les deux enfants s'habituèrent à leur nouvelle vie et rejoignirent le « club » des familles dissociées presque aussi nombreuses que les familles normales. En définitive, la justice avait parfaitement rempli son rôle en ne touchant à rien, mais en induisant par son dispositif inquiétant une solution convenable à des problèmes conjugaux difficiles.

Par un curieux retournement du sort, Charles et Ludovic Michel abandonnèrent l'idée d'entrer à Normale sup ; l'aîné se dirigea vers l'École de la magistrature et le cadet vers le barreau. La conversation finale avec M^e^ Kaspart les avait fascinés. Tout à coup le rôle de la justice dans la société leur était apparu beaucoup plus considérable qu'ils ne l'avaient pensé. Chacun imaginait que renoncer à leur procès les avait guidés vers une meilleure manière de faire leur deuil : exercer eux-mêmes la justice, comme avocat ou juge. Là encore, cette fuite devant la justice n'était qu'un moyen de l'investir davantage.

Martine s'amusait de cette soudaine conversion.

Ostensiblement, après sa colère chez le juge d'instruction, elle prit le deuil, porta du noir, resta chez elle le soir pendant un an, ne voyant que ses enfants et sa propre famille. Puis elle mit fin à sa retraite et partit faire une croisière sur le Nil... Elle rencontra un géographe sexagénaire avec lequel elle entretint une relation délicieuse parce que légèrement décalée par rapport à l'époque. Elle assista seule à Paris, puis à Bordeaux, à la prestation de serment de Charles et Ludovic comme avocat et juge. Elle s'amusait régulièrement, lorsqu'elle dînait avec eux, à les monter l'un contre l'autre, chacun ayant épousé les querelles de sa corporation.

Le juge Tiebo passa tout l'été à lire et relire le dossier de Fabien R. Il demanda et obtint un congé sabbatique d'un an au cours duquel il écrivit un livre destiné à porter le message du criminel et suicidé laissé dans ces quinze feuillets à l'écriture penchée et glissés dans une enveloppe kraft avant sa mort. Il voulait dire la vérité du crime de cet homme comme celle des autres qu'il avait connus pendant toute sa carrière. Mais il décida d'enfermer dans un tiroir les trois cents feuillets de son ouvrage, ne se sentant pas le droit de le publier de son vivant. Tiebo quitta la magistrature. Il ne supportait plus de juger après avoir compris ce qu'il avait compris. Il commença des études de philosophie, puis de théologie, survivant grâce à des fonctions d'enseignant dans plusieurs grandes écoles. Tiebo mourut dans un accident de la circulation à 50 ans. Son ouvrage posthume, *Le Crime,* fut couronné par le prix du Palais littéraire.

## *Table*

*Aubin Imprimeur*
LIGUGÉ, POITIERS

Reproduit et achevé d'imprimer en juillet 1999
N° d'édition 99098 / N° d'impression L 58507
Dépôt légal août 1999
Imprimé en France

ISBN 2-7382-1234-4

33-6234-0